WAC BUNKO

2022年中国の真実

中国が台湾を侵略する日

習近平は21世紀のヒトラーだ！

宮崎正弘
石平

WAC

はじめに——世界の投資家が中国を見限る時、何が起きるか？

この小冊は石平さんとの激談シリーズ第十二弾ですが、とくに中国の経済危機、金融破綻にかなりのページ数を割いて論じています。

まず中国経済の窮状をふたりで議論しました。中国発金融恐慌は、おそらく不動産バブルの崩壊から始まるでしょうから、具体的に数字と幾つかの実例をあげて、深く掘り下げました。石さんは中国のメディアを隅から隅まで目を通して、その行間を読む達人ですから、日本の大手メディアが取り上げない情報が豊富に並びます。

つぎに台湾侵攻の日が近いとされる軍事的危機を、軍事シミュレーションではなく、北京の奥の院で展開されている激烈な権力闘争の文脈から分析しました。これらの強調点を、日米首脳会談、G7、EUの動きなどを重ねて論議しましたので、熱の籠もった内容になったのではないかと自負しております。

台湾情勢が緊迫しています。

尖閣諸島海域への中国海警艦船が領海侵犯を繰り返しています。明らかな軍事訓練です。

軍事志向の強い中国が究極の戦争を想定して行動している実態をみておきますと、目的は中国海軍が「第一列島線」の内側を優位な状態で固定し、「領域阻止」という戦略を全うする。畢竟、中国本土に外国軍を接近させないようにする軍略にあります。

そのうえで「核心的利益」である台湾侵略のために有利な状況を造りだし、同時に尖閣諸島海域の海底に埋蔵が豊富といわれるレアメタルの産出も近未来の目標です。

いまや近代的な軍事基地となった海南島や中国本土内陸部に配備している中長距離ミサイル・航空基地を米軍のミサイルや空母などの艦艇から発射される対地ミサイルの防衛にも力をいれています。

とくに中国海軍の巡航ミサイル（空母キラー）装備により、米軍は戦略爆撃機をグアムから本土に後退させてしまいました。空母、強襲揚陸艦、潜水艦の充足も加速しており、軍事訓練の頻度も上がりました。

となると、戦雲は急速に拡がって台湾海峡から対馬海峡を蔽っている。中国は尖閣を台湾侵攻の戦略手段の前段と位置づけているため、日本は尖閣諸島の実効支配を確実にする政策が急がれます。

中国の秩序壊乱的な軍事行動は、国際法違反になるのですが、武器の使用については、現状でも、海上保安庁の船もできるのです。

現在、日本の海保巡視船が、侵入してくる海警船との間に入って日本の漁船の安全を守る措置を取っている。ですから保守系、民族派団体が漁船をチャーターして尖閣諸島海域へ入ろうとしても、それを阻止するのが、いまの海上保安庁。あべこべです。

もし中国海警が日本の巡視船に銃撃をしかけきたら、警職法第七条に基づき武器使用ができる。そのうえで、海上保安庁では対応難となった場合、自衛隊が海上警備行動を行う。

海上保安庁二十五条は、「軍隊として組織され、訓練され、又は、軍隊の機能を営むこと認めない」としていますが、この条文は削除すべきです。

そもそも巡視船の大型化や装備の拡充は喫緊を要する問題です。

中国海警の大型艦は千トン以上が百三十隻以上。対して日本側は六十数隻。日米安保条約5条には、「各締約国は日本の施政の下にある領域におけるいずれか一方に対する武力攻撃」の際に、共通の危険に対処するよう行動すると書いており、武力攻撃と認定されないと安保条約第5条の発動にはならないのです。

例えば中国軍人が漁民に扮し、武器を携行して尖閣に上陸しようとしたり、弾を撃ってきたりという状況を武力攻撃といえるのか、どうか。武力攻撃とはっきり説明できなければ、国連安保理で武力攻撃とは認定されない。ゆえに日米安保条約5条の発令要件を満たさない。もし武力攻撃が認定されても、中国は安保理の常任国で拒否権があります。

中国は「日本は台湾問題に近付くな。関われば代償が大きいぞ」と恐喝的文言を『環球時報』の社説に掲げています(二〇二一年四月十九日)。「日本は米国に引きずられている」と日米の離間を画策するのはいつもの台詞です。


とはいうものの世界はいまや武器を使わない、ネット上やハッカー攻撃、無人機を駆使するハイブリッド戦争の時代となっており、中国が明確に武力攻撃となるようなやり方をとらないとも思われます。

日米間でもいざという事態に備えて、陸上自衛隊と米国の第3海兵師団、航空自衛隊と米空軍、海上自衛隊と第7艦隊の間で、例えば尖閣諸島を想定して離島を使って上陸訓練や統合訓練を行い即応できる態勢をとっていることは新しい変化です。

つぎに中国経済の断末魔に関して、本文中にもある中国の天文学的な負債ですが、「華融資産管理公司」（中国の不良債権処理機構）の隠れ債務は六百七十五兆円ではないか。なにしろ、この暗黒の金融伏魔殿の社債金利は二五％です。

GDP成長が六％の中国で、金利が二五％というのは異常を超える最悪事態。世界の投資家が中国を見限るのは、時間の問題になっています。

その昔、ヤクザのヤミ金融は阿漕《あこぎ》な高利貸しと言われたものでしたが、金利は「トイチ」でした。十日に一割の利息が複利で増えていく。仮に百万円かりると十日後に百二十万円。二十日後に百三十二万円となり、一カ月後に百四十五万円が元利合計。雪だるま式ではなく、これでは「くまもん」がゴジラに化けることになります。

「華融資産管理」は、予想されたように信用不安が増大しており、ドル建て社債はもはや屑債券扱いです。華融の社債残高は三千三百億元（五兆円弱）、外貨建ては二百億ドル（二兆二千億円）。中国政府が暗黙に信用保証する債務はたぶん四十五兆元（六百七十五兆円前後）以上とされる。

公式統計でも二〇二〇年の元建て債務は三兆円、名門清華大学系の紫光集団と北京大学系の北方集団がデフォルトをやらかし、國際金融市場は吃驚仰天となりました。


そして米国最大投資ファンド「フィデリティ」が中国株に警戒的となりました。これは特筆すべきことなのです。なぜならフィデリティは米国の市場のバロメーターで、一九四六年にボストンで設立され、確実な投資によるファンドに人気が集まって、ウォール街の株価分析でも「フィデリティ」を一応の目安としている投資家が多いからです。顧客二千五百万人の個人投資家が口座をもち、またフィデリティは全米一の資産家ウォーレン・バフェットが率いる「バークシャー・ハザウェイ」の筆頭株主。世界に社員が四万五千名。預かり資産は天文学的です。

フィデリティは、以前から中国投資に積極的で、顧客にも熱心に中国株を勧めてきました。

中国株推奨の理由は（1）貿易黒字が続き経済成長が望まれる。（2）ＢＲＩ（一帯一路）のプロジェクトは世界六十八カ国が関与し、前向きな効果が期待できる。（3）国内市場が発達し消費大国となった。通販でのし上がったアリババは業績を昇り龍のごとくアップさせた。（4）技術開発の迅速さ、ハイテク分野の将来性が有望である。（5）環境問題にも前向きに取り組む等を挙げていたのです。しかし政治的リスクに関しては触れてこなかった。

そのフィデリティが「アント」の評価を半減させたのです。

アリババ系の金融子会社「アント」は突如、上場を延期され、当局の管理下におかれたうえ、アリババには独禁法違反で三〇〇〇億円の罰金が課せられ、創設者の馬雲は爾来、姿を消したままです。

二〇二〇年十一月に上場を予定していた頃、フィデリティはアントの資産を二九六〇億ドルと見積もっていました。この当初の計算から見積もりを半減させ、「中国の規制強化が響いた」として千四百四十億ドルに評価を下げたのです。

これは氷山の一角の出来事とはいえ、何かの予兆でしょう。

今後の中国経済はいかに荒れるか、どうやって崩落期を迎えるか、これは中国に関与する日本企業だけの問題ではなく、いまや日本ぜんたいの安全保障の問題に直結する大難題になりました。

この警告が一人でも多くの読者に届くことを願っています。

令和三年　六月

宮崎正弘

中国が台湾を侵略する日

習近平は21世紀のヒトラーだ！

目次

の「脱スマホ」戦略が「養豚」進出とは？／中国の半導体メーカーは「三無主義」／習近平によるアリババのジャック・マーいじめが止まらない／民間企業の創業者が突然、消える／H＆M商品があっという間に売れる──「ジェノサイド」と中国経済／松下幸之助が泣いている？／四年間で三百二十万人も減少／共産主義が絶対という人生観は廃れ、社会的な価値観も変わった／国家の未来は明るい、自分の将来は絶望的

第四章 コロナより怖い「中国一人勝ちの脱炭素」の罠 ……… 145

中国ワクチンの効果に疑問／「コロナを退治した」という中国の「報道管制」に騙されるな／中国が仕掛けた大ペテンの事業・電気自動車（EV）の罠／製鉄業界の大リストラは「お人好し」が原因／雪に弱い電気自動車よりハイブリッド車がいい／「グリーン・ニューディール」は嘘八百

取材協力　佐藤克己
装幀／須川貴弘（ＷＡＣ装幀室）

第一章

「四面楚歌」の中国に狙われる日本

サミットで自由世界は対中国宣戦布告？

宮崎　二〇二一年六月に英国で開催された先進七カ国（G7）首脳サミットでは、強引な海洋進出やウイグル弾圧などを行なう中国に対して「深刻な懸念」や「人権を尊重する」ように求める声明が出されました。これで中国は、少なくとも自由世界からは非民主国家との烙印《らくいん》を押されて「四面楚歌」になったといえます。

ようやくここまで来たかという感じですが、まずは今年前半の外交の軌跡を振り返っておきましょう。

首脳サミットに先立つ、四月の菅義偉首相とバイデン大統領の会談のあと発表された共同声明で「台湾海峡の平和と安定の重要性」が明記されたということで、日本のメディアは大騒ぎをしていましたが、アメリカのメディアは驚くほど扱いは小さかった。保守系のワシントンタイムズでさえ「会議は一貫して全員がマスク」「日米同盟の重要性が確認された」と紹介した程度でした。一方、欧州のメディアは、イギリス王室のフィリップ殿下の葬儀がトップニュース。日米首脳会談のニュースはベタ記事。世界の関心はこんなものでしょう。

石平　個人的には、先進国首脳サミットは無論のこと、まずはこの日米共同声明で五十二年ぶりに中国の脅威に直面する「台湾海峡」を盛り込んだのは大変、意義のあることだったと考えています。そして、東シナ海、南シナ海における「威圧の行為を含む、ルールに基づく国際秩序に合致しない中国の行動」にも懸念を表明し、さらに香港や新疆ウイグル自治区の人権状況について「深刻な懸念を共有する」と異例な言及を行うなど、対中国認識で一致したことは、日本の外交上、大きな成果だと思います。日米同盟は「新たな時代」に突入したのは間違いないでしょう。

ただ問題は、この共同声明を受けて、日本が具体的にどこまで行動で示すことができるか。そこに関心が集まります。尖閣は無論のこと、台湾の防衛に、日本の自衛隊はどこまで、関わってくるのか。もっというと、中国軍が実際、台湾へ武力行使に出た場合、自衛隊はアメリカ軍と共同で戦えるのか。

安倍晋三前政権時代に、限定的な集団的自衛権が行使できるように憲法解釈を変更しましたよね。武力を使う条件として「①我が国と密接な関係にある他国に対する武力攻撃が発生し、これにより我が国の存立が脅かされ、国民の生命、自由及び幸福追求の権利が根底から覆される明白な危険がある」「②我が国の存立を全うし、国民を守るために他に適当な手段がない」「③必要最小限度の実力を行使する」という「新3要件」を定めた。それに基づいて安保法制が作られました。そこで出てきた「重要影響事態」と「存立危機事態」に関して、台湾有事は当然該当します。放置すれば、日本の平和と安全に重要な影響を与える状況が「重要影響事態」。その時には、米軍など他国の軍隊を後方支援できる。地理的制限はなく、弾薬提供や戦闘作戦のため発進準備中の航空機への給油も可能です。

「存立危機事態」とは、密接な関係にある他国への武力攻撃が発生し、日本の存立が脅かされるなどの事態のことです。弾道ミサイル防衛中の米軍を攻撃する相手への自衛隊による反撃などを念頭に置いています。

とはいえ、明らかな我が国への脅威がなければ、アメリカ軍が攻撃を受けても、自衛隊による反撃は不可能です。となると一緒に戦えません。せいぜい、「重要影響事態」が適応されて、アメリカ軍の後方支援に回るだけでしょう。

後方支援だけでも、日本のマスコミは大騒ぎすると想像されます。それで、いいのでしょうか。台湾有事は、日本の有事でもあるのです。本来なら、早急に憲法9条を改正して、日本の自衛隊がキッチリと普通の同盟国として対応できるように足並みをそろえる必要があるのではないかと思います。でないと、日本は世界中から笑いものにされてしまうと懸念します。日本は憲法改正に取り組む必要があると考えます。

宮崎　まったく、その通りです。米軍制服組トップのマーク・ミリー統合参謀本部議長は「中国の台頭、とくにAIやロボット工学などの新しい破壊的技術により、世界は不安定な時代に突入した」との見立てを披露しています。

これは二〇二一年五月五日、ハワード大学の講演で飛び出した発言で、ミリー統幕議長は「ローマ帝国やソビエト連邦の崩壊など世界史における地政学的変化」と比較しつつ、「米国は潜在的な国際的不安定の時代に入りつつある」としたのです。

つまり米国の覇者としての衰退が始まっている事実を間接的に表現し、「中国の地政学的台頭にはロボット工学や極超音速兵器、人工知能などの技術革新を伴っている。これらの技術は破壊的であり、戦争では決定的な要素となりうる」と警告しています。

日本が頼りとする米国の軍事力が相対的に弱まっている以上、日本が自立できる防衛力を高める必要があり、憲法の見直しは当然の流れですよ。

いったい政府は何をしているんですかね。

です。

バイデンは「ジェノサイド」の呪縛から逃げられない

石平　ご存じのようにトランプ政権後半から米中関係の緊張は高まりました。互いに制裁関税を実施して貿易戦争が勃発し、その後、トランプ政権は台湾へアメリカ政府要人を相次いで派遣し、新疆ウイグル自治区、香港問題でも、制裁を加えたのは承知の通りです。

しかし、二〇二〇年十一月の大統領選挙でトランプ氏はバイデン氏に敗れました。不正選挙だったかどうかは別の話として兎に角、バイデン政権が誕生したわけです。バイデン政権が誕生する前から、バイデン氏本人と習近平の癒着が懸念されていました。

また息子ハンター・バイデン氏が経営する投資会社へ中国から巨額の資金が流れ込んでいるのは周知の事実です。こうしたことを含めて、バイデン政権が誕生したら、中国に弱腰、屈服するのではないか、という考えがありました。政権が誕生から半年近くが過ぎて、一連の動きを見ていると、必ずしもバイデン大統領は中国に屈服、弱腰といえない面もあります。中国のほうも「こんなはずじゃなかったのに」との戸惑いも見せている。このような状況を宮崎さんはどのようにご覧になっていますか。

宮崎 石さんが指摘されたようなことを、中国人民大学国際関係学院副院長兼教授の翟《てき》東昇《とうしょう》氏がもっと直截《ちょくさい》に喋っています。ようするに、「一九九二年から二〇一六年まで(トランプ政権登場前まで)米中間でどんなに深刻な問題が起きても、われわれ(中国)はそれをコントロールすることができた」と。なぜならば、「米中関係はわれわれの『掌の内』にあったからだ」と明かしています。

その理由は、「われわれは(米政府の)上層部にコネがあるためだ。つまり、米国の核心的な権力層に昔からの友人がいるからだ」と。それで、「アメリカの政治エリート上層部をわれわれに繋げるのはウォール街」であり、アメリカの政界と権力中枢に強い影響力を持つウォール街はわれわれの味方であると述べています。

思い上がりもいいところですが、トランプの登場により、この手法が通じなくなって、米中貿易戦争が始まった。実は「ウォール街はあの手、この手で中国を助けようとしたが、力が及ばなかった」という。ところが、コロナ禍のおかげで、奇跡的にバイデンが大統領になった。バイデンの息子はあちこちでファンドを造って商売しているが、誰が彼のためにファンドを造ってあげたのか。「その背後にあるのは、あくまでも『取引』にすぎない」と、シャーシャーといっています。

それだけ、ズブズブの関係にあるバイデン大統領と中国なのに、民主党は人道と民主主義を基本原則としているから、「中国には『ジェノサイド』（民族の大量虐殺）問題がある」と言われたら、いくらバイデン大統領でもこの先、（中国を）擁護するわけにはいかないでしょう。

石平 バイデンはトランプ政権による「ジェノサイド認定」の呪縛から逃げられないということですか。

宮崎 つまり、日本人が思っている「ジェノサイド」というのは、「殺戮」「大量虐殺」という語感でしかありませんが、アメリカやヨーロッパにおける「ジェノサイド」は「ナチスが犯した民族抹殺」という強い意味が含まれており、絶対に許されないものです。だから、西洋では簡単に「ジェノサイド」といいません。それくらい、重いものなのです。

現に英米、カナダ、オランダなどが「ジェノサイド」と規定しています。ただ、ファイブアイズのメンバーのなかで、例外的にニュージーランドがジェノサイド認定を避けました。

五月五日、NZ議会は中国を「ジェノサイド（大量虐殺）」と認定せず、単に「重大な懸念」を表明する動議を全会一致で可決したのです。それ以上に踏み込みませんでした。

ブルック・フォンベルデン議員は「米英、カナダなどの同盟諸国がジェノサイドと認定しているにもかかわらず、ニュージーランドが最大の貿易相手国である中国の機嫌をうかがい、足並みをそろえられないのは耐え難い」と述べていますが……。

ともあれ、今のバイデン政権は、トランプ前政権が提示した新疆ウイグル自治区で行われている中国政府の弾圧を「ジェノサイド」であるとの認識を踏襲しています。ということは、バイデン大統領がいかに、個人的に中国の習近平と仲良く、また一緒にカネ儲けをしたいと考えても、今のアメリカ世論を前にしては、二進も三進もいかないのです。

それで、慌てた中国の習近平は、外交トップの楊潔篪《ようけつち》と王毅《おうき》外相をアラスカ州アンカレッジまで行かせた。ブリンケン国務長官らと会って、バイデン大統領の本音を探りたかったに違いありません。

アラスカの米中激論は「猿芝居」

石平　三月にアラスカで開かれた米中会談の冒頭で、約一時間にわたり激論を交わしましたね。

宮崎　私からみればあれは完全に「猿芝居」ですね。たとえば、長い髪の毛のかつらを被った歌舞伎俳優が、見せ場をつくる時などに、首を左右に大きく振るじゃない。それを楊たちがやったというイメージですね。あのとき、楊は全然、向かいの会談相手のブリンケン国務長官などを見ていません。カメラを見据えて北京に向けて発言をしたと考えた方がいい。王毅もそうです。強気の対米姿勢を示して、中国国民の受けを狙っただけです。王毅外相は次の政治局員への出世を視野に置いている。ジャーナリストの福島香織氏に、あるテレビ番組でそう言ったら、それはないという見解を示していましたが、私はあるんじゃないかと思う。

ともあれ、この会談の結果、どうなったか。バイデン大統領は習近平をアメリカに招待したいと思っていたのですが、アラスカ会談の決裂を受けて、習近平の訪米はなくなりました。これを石さんはどう見ていますか。

石平　訪米について習近平は迷っていました。どうして迷っていたかというと、実は習近平自身、バイデン政権が誕生する以前から、すごくバイデン氏に期待感を抱いていたのです。習近平はバイデンと非常に親密な関係にあったので、バイデン政権になったら、アメリカは、いつものように「手の内」に入ると期待した。

　バイデン政権誕生の翌日、中国はトランプ前政権の国務長官だったポンペオ氏など高官に制裁を加えました。ようするに中国は、バイデン政権にメッセージを送ったのです。どういうメッセージだったのか。米中関係を、悪化させた張本人たちを制裁し、それで悪い米中関係も精算されたと。分かりやすくいうと、もう悪いことをした人間は制裁していなくなったから、米中の悪い関係はこれで終わりにしようと。そして新しい米中関係を創り上げよう、というのが中国側の意思表示だったのです。

　これは中国の昔から一貫したやり方で、悪い時代を終わらせるための象徴として、悪い奴をやっつけてみせるんです。たとえば、文化大革命を終わらせるために、文革を推進していた江青たち四人組を捕まえ、新しい時代が始まったかのような印象操作をやってみせた。同じように、これから米中関係を「都合のいい方向」にもっていこうとしたわけですよ。だけど、なかなか習近平の思惑通りにはならない。

　バイデン氏がまず大統領に就任して取った行動は、世界各国の首脳に対しての電話会談です。最初に電話をかけたのが、イギリスのジョンソン首相でした。そしてＥＵ諸国、日本、インドのモディ首相など、アジア各国の首相へ次々と電話を掛けました。まだ中国の習近平に電話を掛けていないじゃないかとなって、やっと二〇二一年二月十日、習近平と電話会談をしたのでした。

習近平との電話会談は結構、時間そのものは長かったけど、関係者筋の話によると、ほとんど話は平行線だったと聞きます。中国側の発表でもバイデン大統領の話はまったくといっていいほど報じられませんでした。もし、電話会談でバイデン大統領が仮に習近平を持ち上げ、中国に都合のいい発言をしたら、必ず大きく中国メディアは取り上げたでしょう。それがなく、習近平のコメントだけが報じられたのです。習近平からすれば、バイデン大統領の本心が分からなくなってしまった。さらに、バイデン政権の内部からは、習近平政権に対する制裁措置案が、浮上している。そしてトランプ時代の高い関税は、そのまま維持する方針で続いている。困惑している習近平の顔が浮かびますよ（笑）。

あやふやなバイデン外交

宮崎　バイデン大統領の対中政策の大筋は、トランプ時代のものと大きく変えていないと思うけど、あやふやなところがかなりある。たとえば、新型コロナウイルスを「武漢コロナ」と呼ぶことを禁止した大統領命令にサインをするなど、姑息なところで、中国を「ヨイショ」している。

対面で初めて会談をする前に、菅総理とバイデン大統領は電話会談を行いました。実質、五分間のやり取りで終わりました。十分間というけど通訳を入れたら、その半分となります。そこで、バイデン大統領が安保条約第五条の適応に、尖閣諸島が守備範囲に入ると明言したといいます。それだけを聞いていると、バイデンが外交を直接仕切っているように思えますが、実は電話外交はハリス副大統領がやっているようです。どうもバイデンはもうろくして、危なっかしい。この間も飛行機に搭乗するとき、タラップから落ちそうになった。バイデン大統領をなるべく人前に出したくないというのが、本当のところらしい。

今、バイデン政権は完全に側近政治になっています。みんな側近にやらせているのが実態です。外交はブリンケン国務長官に任せっぱなし。儀礼的なものはハリス副大統領にやらせている。そのくせ、再選に出馬すると言っているけど、そのときには八十二歳になる。マレーシアの大統領マハティールは九十三歳で再起しましたからそれも、ありかとは思うけど、ちょっと無理でしょう。

だから、正直に言って、バイデン政権が中国に対してトランプ政権のような「強硬路線」を敷いているというふうには見てとれない。石さんが言われたように、バイデン大統領と習近平が初めて電話協議をしたとき、大統領は習近平に「中国による香港民主派など市民への圧迫やウイグル族への人権侵害、台湾を含む地域での行動が攻撃性を増している」との懸念を表明している。それに対して習近平は「台湾、香港、新疆ウイグルの問題は中国の内政問題で、主権にかかわると強調」(二〇二一年二月十二日付、日本経済新聞)して反論し、平行線だったことは報じられた通りです。そこまでは、お互いの国民向けの「芝居」で、「出来レース」だったのではないかと思う。そして、バイデン大統領は「米国民の利益になるなら協力する」(同)と語り、話し合いの余地があることをこの電話協議で滲《にじ》ませたのです。

こうした疑念は、バイデン大統領が自分の本心を曝け出したニュースによって裏付けられました。日本ではほとんど報じられていませんが、二月十六日、CNNタウンホールイベントに出席したバイデン大統領は、CNNの人気キャスターの質問に対して、「私は習近平が香港、ウイグルでやっていることをとやかくいう気はない」と発言したのです。

その理由についてバイデン大統領は「それぞれの国に異なる規範があり、その国の指導者はそれに従うことを期待している」と述べ、バイデン大統領は明らかに中国を擁護した。すると、アメリカは尖閣諸島で日本と一緒に中国と本気で対峙してくれるか、甚だ疑問に思ってしまうのです。というより、まったく対峙してくれないのではないかと危惧するしかないでしょう。バイデン大統領のタテマエ(中国に物言う)とホンネ(中国と仲良くやりたい)を見きわめないと日本はとんでもないしっぺ返しを受ける恐れがあります。

石平 その心配を裏付けるかのように、二〇二一年二月二十六日、アメリカ国防総省のカービー報道官が「尖閣諸島の主権に関する日本の立場を支持する」とした二十三日の発言を自ら撤回したことがありましたよね。

「尖閣諸島をめぐっては、米政府は日本の施政権を認めるものの、主権については特定の立場を取らない方針を堅持している」(時事通信二月二十七日)というのがその理由で、尖閣諸島を日本領と明言することをアメリカ政府は拒んだとも解釈できます。

つまり、中国と日本が尖閣諸島の領有権を巡って、争いごとになったら、アメリカはホンネとしては中立な立場を取りたいと考えていることをハッキリさせたと思えます。

中国は尖閣諸島の領有権をめぐって日本との間で問題があると、一方的に主張していま す。その狙いは、尖閣諸島で日中が軍事衝突したら、アメリカ軍が参入できないようにすることです。その観点から日本政府が尖閣諸島に「領有権争いは存在しない」と主張しているのは正しいと思います。

ただ、バイデン大統領は一見すると中国に強気の発言をしていますが、アメリカも中国も、本音では本格的な対立・衝突は回避したいと思っているはずです。二〇二一年一月二十五日の記者会見でサキ大統領報道官が「戦略的忍耐で（中国に）対応していきたい」と、オバマ政権時代の対中路線を踏襲するかのような発言をしたのは、その意志というかホンネの表れだったと。その後、サキ報道官は大きな反響（反発）があったことから、この発言を訂正しました。が、サキ報道官はオバマ政権を支えたスタッフであり外交素人ではありません。単に不慣れな素人が間違って発言をしたのとは訳が違う。

宮崎　サキ（ｐｓａｋｉ）は、ギリシア、アイリッシュ、ポーランドをご先祖に持つ家系ですから、根っからのグローバリストですね。

日本外務省も一歩前進か？

石平 中国にとって一番、脅威になったのはトランプ政権（ポンペオ国務長官）が辞める直前に、新疆ウイグル問題を「ジェノサイド」（民族虐殺）と認定したことです。これは大きな置き土産となりました。ある意味、トランプ大統領が去る寸前に、今後の米中関係の基本を決めたと言ってもいいでしょう。アメリカの政権が一旦、ジェノサイドと認定したら、バイデン大統領といえども、ひっくり返すことができません。おそらく、仮にひっくり返したら、バイデン大統領はアメリカ中から大変な批判を浴びることになる。また、民主党内からもバイデン大統領は絶対に許さないという声が挙がるでしょう。

宮崎 先にも触れましたが、イギリスとカナダ、オランダが国会でジェノサイド批判の決議をしたでしょう。EUもウイグル弾圧関係機関への制裁を決議した。ところが、日本はまだやっていません。日本はこのままでいくと、世界中から逆のことをいわれる心配がある。「お前（日本）はジェノサイドとも認めないし、制裁もしないのか」と。そうなると、日本は中国側だと誤解され、全体主義者の片棒を担ぐ国家と言われてしまう懸念があります。そのことを外務省の連中は分かっているのかどうか。深刻な問題です。

石平　彼ら（中国）にとってショックだったのは二〇二一年三月十六日に行われた日米外相・防衛大臣会議（2＋2）でした。アメリカのブリンケン国務長官と、オースティン国防長官が訪日して日本の茂木外務大臣と岸防衛大臣と会談して、共同声明を出しました。私からすれば、画期的でした。というのは、「中国」を名指しで批判し、日米同盟にとって、中国が問題であると明言したからです。日米同盟の歴史から判断すると、大きな進化です。この流れは、四月十六日に行われた菅義偉首相とバイデン大統領の初めての会談でも引き継がれました。中国が強い危機感を持ったのは当然でしょう。

実はその前に、中国が危機感を抱いた外交事案があったのです。それは、日米豪印（クアッド）の外相が二〇二〇年十二月に集まり、反中で四カ国が結束したことで中国政権に衝撃が走ったのです。バイデン政権になって、四カ国外相は会談を重ね、その後に首脳会談を行いました。さらに、もう一つはイギリス、フランス、ドイツが揃って軍艦を東アジアに派遣することにも中国は非常に警戒しています。

宮崎　いずれの会議においても、ハッキリと新疆ウイグル自治区、香港、台湾、チベットと四つちゃんと並べて、中国を非難していますね。その点では、日本の外務省はこれまでになく一歩前進で踏み込んでいた。今までは、曖昧な表現で、「人権が抑圧されている」とか、「安全が脅かされている」などの声明にとどまり、中国を名指ししなかった。それが、様変わり。中国が人権蹂躙しているといっているのだから、その意味合いは大きい。

外務省が随分と変わったなと思うのは、二〇二一年度『外交青書』です。「中国による現状変更の動きを強く懸念する」とし、「尖閣周辺の中国海警鑑船の活動は国際法違反」と明記した。あのパンダハガーの多い外交省が作成した『外交青書』は「台湾は極めて重要なパートナー」と定義しなおしているのです。

というのも二〇一二年までは「台湾は重要な地域」と書いており、二〇一三年に安倍晋三政権が誕生してから「台湾は重要なパートナー」に昇格、二〇一五年からは「基本的価値を共有する『大切な友人』」という表現でしたが、二〇二一年度版からは「極めて重要なパートナー」とランクが飛躍しています。

背景にあるのは尖閣海域への度重なる領海侵犯ですね。尖閣諸島の不安定な状況をさらに複雑化させたのは、中国が二〇二一年二月に突如、施行した「海警法」です。中央軍事委員会傘下の中国海警局に法執行と国防の両方の任務を課し、武器使用権限を与えた。これで海警は実質的な第二軍であることが分かったわけです。

中国海警局は「管轄海域」で他国の民間船舶や漁船の航行に制約を加えるばかりか、強制排除・拿捕ができるうえ公船に対しても武器の使用が可能としています。

そして中国海警局の艦船は執拗に尖閣諸島領海内に侵入を続けている。毎日毎日、日本が根負けするくらいのしつこさを発揮するのも、中国が日本側の対応能力を調べ上げ、いざという時の戦争に備えているからでしょう。

しかも、この中国海警法は単に尖閣周辺だけでなく、台湾海峡から南シナ海、そして全地球的な法体系に基づいたもので、その前に中国は「国防法」を改正している。宇宙空間からサイバー空間まで、安全保障にかかわる領域における軍事行動、そのために必要な措置を取る法体系を確立した。すなわち中国において、海警法と国防法はセットとなりました。

石平　その通りです。そして、バイデン政権になって、前述したように、三月に、中国の外交トップ楊と外相の王毅をアラスカ州まで呼び出したわけですが、中国側としては、この会談をもってトランプ時代の米中関係に終止符を打って、バイデン政権との新しい関係を作りたいと思っていました。前述したように、習近平は米中関係を元の軌道に乗せるつもりでいました。だから、わざわざ外交トップをアラスカまで行かせたのです。

先の翟《てき》教授の話にもありましたが、トランプ政権以前の米中関係は、中国がアメリカのすべてを操ることできたと豪語していました。徹底的に対峙したトランプ政権は終わり、親中派で中国とズブズブの関係にあるバイデン政権に期待したのです。

しかし、中国にとって、この会談自体が非常に屈辱的でした。というのは、ブリンケン国務長官の動きを見ますと、三月十六日は日本に来て、十七日は韓国ソウルに行きました。韓国のソウルにまで行ったなら、北京は目と鼻の先です。北京からソウルへは一時間もかかりません。北京の玄関口まで来ているのに、ブリンケンは決して、ソウルから北京に出向かなかった。逆に一度、アメリカに帰国するために、アラスカまで戻ったのです。アメリカの高官が日本を訪問すると、アラスカ経由で帰国します。そのアラスカに外交トップの楊潔篪と、外相王毅を呼び付ける形を取った。

中国からすれば、ブリンケンは中国の玄関口まで来たのに、北京に向かわずして、逆に自分たちを太平洋の向こう側まで、呼び出したことになります。これは中国からすれば非常に屈辱的な話です。さらに屈辱的と感じたのはブリンケン国務長官が楊潔篪、王毅に食事を出さなかったことです。晩御飯、昼ご飯も出さない。結局、楊潔篪たちは、自分たちで食事の用意をしなければならなかった。中国人からすれば、招待する側の国が、客人である中国人に食事を出さないというのは大変、失礼で屈辱的な話でしょう。

宮崎 失礼な話ではありますが、菅首相にさえ、特製ハンバーガーが出たんだから。せめて肉まんでも出すべきだった（笑）。

石平 中国人からすれば、失礼千万。中国人にとって深刻な問題です。しかし、それでも、楊潔篪たちは、恥を忍んでアラスカに行ったのです。行かざるを得なかった。しかも、その会談直前のタイミングで、アメリカは、新疆ウイグル自治区と香港問題に絡んで、中国の関係者に制裁を加えると発表しました。そして、恥を忍んで行ったのに冒頭から、ブリンケン国務長官がいきなり、中国の人権問題に言及したわけです。頭にきた楊潔篪は、あんな大演説をぶって、バリバリの中国語で演説を長々と続けたわけです。

宮崎 さっきも言ったように、あの演説は完全に猿芝居ですよ。「習近平皇帝様、ここまで我々は『愛国者』として、反論して、言いたいことは言いました」と。アメリカからすれば、北京とアメリカの中間地点がアラスカだと。われわれアメリカのほうとしてはわざわざアラスカまで出向いてやったんだぞ、「だから、（文句を言わずに）来い」というわけです。

もっとも中国は、許《きょ》基《き》亮《りょう》・中央軍事委副主任をアラスカに寄越さなかった。それならばアメリカもオースティン国防長官は同席する必要性がないと判断をしました。それでオースティン国防長官を韓国からインドへ向かわせたのです。インドの反中感情は地球で一番激しいでしょう。ですから、中国からすればアメリカの嫌がらせに映ります。中国は、この会談では外交トップを送ればいいと思っていたのです。

石平　楊潔篪は高級官僚というより、政治局員です。ようするに、外交に関しては習近平に次ぐ最高責任者の立場にいます。だから、楊潔篪をアラスカに行かせることで、習近平政権の強い思い、期待を表したかったのです。会談は冒頭で双方が、二分間ずつ挨拶をすることになっていました。しかし、ブリンケンの最初のあいさつで怒った楊潔篪は、いきなり十六分間も喋ったわけです。それで酷いのは、楊潔篪は中国語でしゃべるわけですが、一度も通訳を介さないのです。国際会談で普通は途中で何回か、自分の話を中断して通訳させます。通訳をさせずに、一気に十六分間も話した。ブリンケンからすれば、何をいっているのかサッパリ分からずに、苦痛に満ちた十六分間だったでしょう。これは、宮崎さんがおっしゃったように、ブリンケンに対して発した言葉ではありません。習近平に向けて発した言葉です。だから通訳はいらない（笑）。

宮崎　しかも楊潔篪は、どちらかというと、中国語より英語の方が上手いと冗談を言われている人物です。王毅は日本語がうまいし。

石平　普段は温和な物腰で知られている楊潔篪が、声を荒げてブリンケン国務長官らアメリカ代表を面罵しました。楊潔篪の口から放たれた「アメリカには高い所から中国にモノを言う資格はない！」『もし、アメリカが適切に中国側と交渉したいのならば、必要な儀礼に従って正しいことをすべきだ」という言葉は、中国国内で大喝采を呼びました。激しい口調で上から目線で、アメリカを罵倒したわけです。しかし、肝心の米中会談はこれで最初から険悪なムードとなって、結果的には物別れに終わってしまいました。

「戦狼外交」から「狂犬外交」へ変身

宮崎　これ以降、少なくとも中国と西側の表向きの関係は改善するばかりか、悪化の一途になりますね。冒頭でも触れたけど、二〇二一年六月の先進七カ国首脳サミットでも中国を名指しする形で批判声明も出された。

石平　それに先立つ形で、二〇二一年三月二十三日に、欧州連合（ＥＵ）が中国新疆自治区幹部四人に対する制裁措置を発動したことへの報復として、中国外務省は欧州議会関係者やドイツの学者たち十人と関係組織に対抗制裁を科すとすかさず発表しました。同じ新疆問題の関連でアメリカが発動した制裁措置と比べれば、EUの制裁措置はむしろ生ぬるいものでしたが、それでも中国は過剰反応して倍返し以上の報復措置に打って出たのです。

その前日の二十二日にフランスのルドリアン外相は声明を出し、中国の駐仏大使がフランス議員や研究者に「侮辱や脅し」の発言をしたことを非難しました。駐仏大使は、訪台を計画中のフランス上院議員に書簡を送り、中国が対仏制裁に出る可能性を示唆したと同時に、訪台を擁護したフランス研究者を「発狂したハイエナ」と罵倒したのでした。一国の全権大使が相手国の一研究者に「発狂したハイエナ」という下劣な表現で個人攻撃をするとは、世界の外交史上めったにない大珍事です。

まだあります。二十八日、駐リオデジャネイロ（ブラジル）中国総領事は、カナダのトルドー首相に矛先を向け、トルドー首相のことを「中国・カナダ関係を壊した敗家子（身代を潰す放蕩《ほうとう》息子）」だと痛罵したうえに、「アメリカの手先」とまで言い放ったのです。対カナダ外交担当でもないブラジル総領事がどうしてカナダ首相を個人攻撃したのかよく分かりません。

宮崎　習近平皇帝サマへのおべっか合戦だったのでしょう（笑）。しかしトルドーは反トランプで有名だったけれど。

石平　とにかく、あたかも狂犬のように誰にでもむやみに咬みついて、汚い言葉で罵るのは、それが今や中国外交官の共通スタイルとなっています。近年、中国外交は「戦狼外交」（この用語は、中国のランボー風のアクション映画『戦狼ウルフ・オブ・ウォー』からの造語。論争を避け、協力的なレトリックを重視していた以前の外交慣行とは対照的に好戦的・高圧的姿勢を打ち出す）であると揶揄されてきましたが、ますますエスカレートして、もはや「狂犬外交」あるいは「狂乱外交」の様相を呈してきていると思います（苦笑）。

これは、ようするに外交官があらゆる外交場面で、国内世論や習近平を意識して好戦的・高圧的な姿勢をしているのだと考えられます。本来ならば外交官はその国家との調整役に徹しなければいけません。その観点からすると、本来なら楊潔篪は中国の行き過ぎた外交姿勢を改める役割に回らなくてはいけない。だが、楊潔篪は、自ら先頭に立って戦う狼になってしまった。ただ、あの演説で国内の英雄になったのは事実です。

「頭に来た」中国政府

宮崎　石さんを前にして、今さら言うまでもないことだけど、中国人って言うこととやることが違うし、そのうえ頭の中では別の企みを抱いています。少なくとも三つ以上の発想を同時に行なえるという頭脳構造ですから。大局的な国際関係から見れば、アラスカ会談は失敗だけれど、少なくとも楊潔篪個人にとっては成功したともいえるね。

石平　でも、決闘ならともかく、それは外交とはいえない。最近、中国の外交が酷いことになっている。

宮崎　罵られたカナダのトルドー首相にしても、ものすごい親中・媚中派のリベラル政治家。「カナダの河野洋平・二階俊博」みたいな政治家だ（笑）。トランプ前大統領の悪口を散々、外交の場で言いまくっていました。中国からすれば、リベラル派首相のいるカナダはなんだかんだいっても味方と思っていた。そのカナダ国会でも、新疆ウイグル自治区において起きていることを「ジェノサイド」と認定したのです。（トルドーは棄権したが）。中国にとってみれば、許せない。平たい言葉でいえば中国は「頭に来た」わけです。

もう一つ、中国にとってカナダに関して気に食わないのは、ファーウェイの副会長である孟晩舟を捕まえたままであること。このことで、中国はカナダに脅しをかけています。中国政府は例によって中国にいたカナダ人を捕まえて、裁判をして、カナダ政府に揺さぶりを掛けました。だけれども、トルドー首相のような親中派でさえも、あれだけ、中国からあからさまな圧力をかけられたら、おいそれと孟晩舟を釈放するわけにはいかないでしょう。国民の猛反発が懸念されるからです。「トルドー政権は中国に屈したのか」と言われたら、政権が潰れてしまう。

去りゆく媚中派メルケル・ドイツ

石平　新疆ウイグル自治区のジェノサイドに関しては、前述したように、アメリカ、オランダ、カナダの各議会で認めました。人権問題に対する中国の風当たりが強まっていますが、それにしてもEUの対応はまだまだ生ぬるいと思う。

宮崎　ドイツが影響している。いまメルケルの人気は急下降しています。

石平　メルケル首相の中国迎合外交は、理解不能です。

宮崎　欧州は地理的に安保上の脅威を中国や北朝鮮から受けにくい。日本がイランの核開発にあまり関心がないのと同じです。しかも、中国の十四億人の巨大市場は欧州にとり大きな魅力です。ドイツのフォルクスワーゲンの販売台数の四割は中国向けですし、ドイツ銀行は中国経済に深く関わっています。最近、電気自動車プロジェクトでフォルクスワーゲンは完全に中国のいいなりになってしまった。このフォルクスワーゲンは、あまりにも中国寄り過ぎで正常な経営判断が出来なくなっていると言わざるを得ません。それに比べればまだトヨタはマシ。ドイツ経済全体も中国経済にあまりにもべッタリです。だから、メルケル首相は中国との関係を重視するのです。

こうした中、四月十三日に日本はドイツと外務・防衛担当相閣僚会議（2＋2）をオンラインで開催しました。その狙いは中国への抑止力を強化するためでした。が、メルケル首相はこの2＋2会議前の七日に習近平と電話会談を行い、「対話の重要性」で合意したといいます。つまり、2＋2会議をメルケル首相は事前に習近平に説明をして御機嫌取りというか事前了解を得たというのが真相に近いでしょう。

石平　ご存じのように二〇二〇年末に習近平とメルケル首相の二人がグルになって欧州投資協定を締結しました。しかし今、欧州議会において、この協定の批准について反対が多い。中国がＥＵ（欧州連合）の実施した新疆ウイグル自治区に対する制裁に反発して、欧州議会関係者など十人以上に報復制裁を科したことから、ＥＵ全体で中国に対する反感が一段と高まったことが背景にあります。

宮崎　ようするに、この投資協定に「人権」という文言が入っていないことに、各国は文句をいっているのです。

石平　そうなると、仮に「人権侵害を許さない」といった文言が、この協定に新たに入ったとしたら、中国は一層、ＥＵに対して制裁を課すことになるでしょう。欧州議会で中道左派の社会民主進歩同盟など複数の党派が投資協定に反対を表明しており批准されない可能性がある。すでに、ＥＵ議会は、五月二十日、中国との投資協定の承認手続を凍結する決議を採択しました。

「死せる孔明中国を動かす」じゃなくて「負けたトランプ世界を動かす」

宮崎　ＥＵ議会は、各国から議員を選んで議論しているだけで、基本的に存在意義はないのです。この議会を動かしてきたのはメルケル首相で、それに反対の立場を貫いてきたのがフランスのマクロン大統領。イギリスはEUから離脱したので、それ以後はドイツ対フランスの構図となっています。

問題はドイツです。メルケル与党（キリスト教民主・社会同盟）は選挙に負け続けています。先日の州選挙でも、与党の支持率は二割しかなかった。メルケル首相は、二〇二一年九月に引退しますから、そろそろ、ドイツの対中政策も変わっていいのではないかと思う。ひょっとして緑の党との連立になるかもしれない。

メルケル政権のクランプ＝カレンバウアー国防大臣は、ドイツのフリゲート艦を二〇二一年夏にインド太平洋地域に派遣するといっています。さらに、日本にも寄港する計画で、アジア太平洋に領土を持たないドイツが軍艦を送るのは異例中の異例です。だが、メルケル首相は軍艦派遣について一言も発していません。しかし国防大臣は与党の議員です。与党の中でもメルケル首相と全然、意見が違います。

ドイツはどうしてここまで、中国にのめり込んだか。先ほど触れましたが、ドイツ銀行とフォルクスワーゲンの中国進出が原因です。しかし、この中国の「ジェノサイド」問題で、まとまらなかったヨーロッパが、反中で一本化できるかも知れません。

民族抹殺といえば、「アルメニア人虐殺」事件というのがありました。二十世紀初頭に、トルコ国内で少数民族であったアルメニア人が強制移住させられる途中で大量虐殺された事件です。オスマン帝国政府が計画的、組織的に実行したと非難されていますが、どうやら犯行はクルド人だったらしい。ともかくオスマン帝国の継承国トルコは自分たちには関係ないと主張しています。国際的に「アルメニア人ジェノサイド」として非難されており、フランスではこの「アルメニア虐殺」に関してネットなどでトルコ寄りの発言をしたら刑務所に入れられてしまう。ヨーロッパ諸国では虐殺には厳しく対処します。日本人が思っている以上にヨーロッパは「ジェノサイド」に敏感で、絶対に許せないのです。だからアメリカのバイデン大統領もトルコのやったことは「ジェノサイド」とついに認定してしまった。トルコはこの一言で反米路線に走りだした。

ドイツでは、いまだにヒトラーが書いた『わが闘争』は、一般向けには売っていません。ユダヤ人を「ジェノサイド」したヒトラーに対する拒否反応は、根深いものがあります。そういう国です。

石平 そういう意味で、トランプ政権が退陣直前にウイグルを「ジェノサイド認定」したことは歴史的な大貢献だと思う。それが今、世界中を動かしていると言ってもいい。

宮崎 「死せる孔明中国を動かす」じゃなくて「負けたトランプ世界を動かす」だ（笑）。

北京冬季オリンピックはボイコットか

石平　その通り！　ところで、ドイツでは日本同様、総選挙が秋にはある。環境のみならず人権問題でも一家言ある「緑の党」が政権与党になる可能性もあるという。となると欧州各国は反中にますます傾くでしょう。すると、このままで、どうでしょうか。二〇二二年の北京冬季オリンピックの開催は危うくなるのではないですか。

宮崎　今、日本としては、ボイコットを言い立てるのは難しいでしょう。兎に角、東京オリンピックを無事に開催し、成功させないといけないというのが政府の立場だった。日本が北京冬季オリンピックをボイコットすると言ったら、中国は「カッ」となって、東京オリンピックボイコットと言い出しかねない情勢でした。それはそれで、大いに結構だけどね。

石平　でも、北京冬季オリンピックが「ジェノサイド」問題で、自由世界の多くが、参加拒否の流れになると考えますか。

宮崎　そうなる可能性は高い。やはり、アメリカの出方がポイントとなってきますね。

ただ、第二次大戦（大東亜戦争）を見てもわかるように、アメリカは「敵と味方」を間違える天才といわれている（笑）。アメリカは「中国を孤立させる」と言っているのでしょう。だったら、敵は中国一カ国に絞り込まないといけないのに、ロシアもけしからんといい出し、敵を二つ作っています。さらに北朝鮮はトランプが何とか丸め込んだのに、今や中国側に行ってしまった。「アルメニア人の虐殺」もジェノサイドと認定したからトルコとの関係も悪化している。サウジやイスラエルが敵というのにイランには近づくし……。

石平　なるほど、そうですね。

宮崎　北京は、アメリカと敵対するロシア、北朝鮮、イランと組んでいる。アメリカは本来なら敵を増やしてはいけないのです。ましてトルコが向こう側に行ったらマイナスになる。

石平　中国は昔、外交戦略は上手でした。「合従連衡外交」を心がけ、一度に何カ国も同時に敵を作りませんでした。敵を一国だけに的を絞って、徹底的に潰す。「反ソ」の時はアメリカは無論、日本にもおべっかを使って自衛隊増強賛成、日米安保賛成、覇権反対とすり寄ってきて仲よくしようとした。でも、今の中国は、世界中の国を敵に回しています。四面楚歌状態。ここまで中国を世界中の国が嫌い始めたのは、習近平の〝功績〟

だと思う。中国は本性を剝き出し、平和外交を装うことも、仮面をかぶることもしなくなった。そうした習近平の〝功労〟は無視できません。表彰してあげたいぐらい。皮肉を込めてね（苦笑）。

でもだからこそ、日本に対してはアメとムチというか懐柔工作もしてくるでしょうね。ノーテンキな平和ぼけした一部のマスコミや政治家が「米中対立」の仲介を日本がしなくてはいけないなんて言い出す。

宮崎　朝日新聞の社説（論説委員）が必死になって言い募っているね（笑）。かつてソビエト脅威論が高まった八十年代に、朝日は、ソ連は脅威ではないと一生懸命、ソ連の提灯持ちをしていました。歴史は繰り返すのかな？　だとしたらソ連同様、中共も崩壊するわけだ。自由世界の多くがボイコットしたモスクワ五輪開催のあと崩壊したから、北京五輪と中共も同じ運命にあうかもね。

新しい冷戦の枠組みが出来る――ウイグル人権問題が世界を揺るがす

宮崎　トランプ政権下で当時、ペンス副大統領が画期的な中国への宣戦布告のような演説を二〇一八年十月にハドソン研究所でしたことがあったけど、そのなかで、すでにウイグル問題は取りあげられていた。先見の明があったわけだけど、当時は国際社会の中では一部にしか広がりを見せなかった。ペンスって誰、という次元の話になってしまった。

石平　そうでしたね。あの演説から三年弱が経過しましたが、今後、この人権問題で、世界はどのように展開するのでしょうか。日本が明確に「ジェノサイド」に反対して制裁する仲間に入るのか。そして西側の味方になるのか否か。「ジェノサイド」批判で、クアッド（日本、アメリカ、オーストラリア、インドの四カ国協定）の先頭に立って中国を封じ込めて、場合によっては北京冬季五輪をボイコットするのか。

それで、自由諸国というひとつの対立軸が出来る一方、中国など人権蹂躙国家、たとえば北朝鮮、ロシアなどと対峙するのかどうか。日本の姿勢次第で、新しい冷戦の枠組みが変化していくことになる。

そこで、ひとつ大事になるのが、安全保障に関して、これまた安倍前首相が提唱し前向きに進んでいる「アジア・インド太平洋」構想があります。この地域で、クワッドという枠組みができた。日米同盟で、中国を明確に敵国として、団結を図っています。こうした中、イギリスも、最新鋭空母「クイーン・エリザベス」を中心にした打撃群をインド太平洋地域に派遣して、日本の海上自衛隊と共同の軍事演習に参加します。フランスも攻撃型原子力潜水艦を南シナ海に送ったと発表し、ドイツも前述したように軍艦をアジアに派遣します。今後、安全保障の面で、自由世界の各国が一斉に中国に封じ込めに動いているように見えます。この動向をどうのように判断していますか。

宮崎　まず注意しなければいけないのは、日米同盟に関しては、日米安全保障条約があって軍事同盟関係は正式に成立しています。しかし、それと同じ条約が、米国とインドとにあるかといえば実はないのです。その一方で米国とオーストラリアとの間にはあります。日本はもちろん、アメリカ以外のインドや豪州とは軍事同盟は結んでいない。クアッドは、NATOのような相互体制の軍事同盟ではまったくないという点を忘れてはいけない。

しかし、オースティン国防長官が、日本と韓国の2＋2会議終了の直後にインドへわざわざ行ったのは何故か。これはインドとこうした軍事条約がないので、それを是正・補完するために訪印したのではないか。

戦後、一貫して非同盟を標榜していたインドは、この六十年間、武器はロシア製を導入してきました。実は昔からインドとロシアは仲がいいのです。インドの西海岸に二十世紀半ばまでポルトガル領だったゴア州がポツンとあります。ここは、税金がかからず、酒が自由に飲めるし、おまけにカジノもやれる、珍しい街です。このゴアとモスクワの間には直行便があり、大勢のロシア人がこの街に遊びに来ます。ロシアはこの街に結構、深入りしているのです。そんなこともあって、インドとロシアの関係はかなり深いものがある。

ただ、兵器調達の面でいえば、インドには転機が訪れています。これまでインドの国防産業を担う会社は五一%以上、インド資本でなければいけなかったので参入するのは厳しかったのです。その方針をモディ首相は、三年前にハイドラバードで開いた軍事見本市をキッカケに変えました。インドの出資比率を二五%に下げ、外国企業は七五%出資で、事業参入できるようにしたのです。つまり、外国企業主導でインドの軍需産業に進出できることにした。そうしたら、世界中の企業がインドと共同で兵器開発しようと一斉に乗り出してきました。今では、インドの軍事産業は躍進の途上にあり、それにアメリカの軍事産業は目を付けています。

日本はどうか。武器の輸出は相変わらず実質的にはほとんど出来ませんから、側面からインドを援助するしかありません。日本や世界中から、兵器開発企業約千百社がすでにインドに進出しています。安倍首相は浪人時代から足しげくインドを訪問して交渉した結果、インドに日本の工業団地が二つ完成しました。この関係はもっと深めていく必要がありますね。

アジア版NATOは出来るのか

石平 欧米諸国がやっと中国離れをしだしたものの、逆に、発展途上国が中国になびいている気がします。この辺、どのようにお考えですか。

宮崎 全体主義国家を撃破するためにも、発展途上国を中心に自由主義陣営に導き入れることが大切です。本来なら、インドを米国などの西側諸国との安全保障同盟締結まで、高めなければいけないと思います。またラオス、カンボジアという親中国派がアジアの安定を攪乱しています。ブルネイも中国に押さえつけられている。また、シンガポール、マレーシア、タイはどちらかというと、中国に弱い。反中を鮮明にしているのはフィリピンとベトナムだけです。やや強硬なところで、インドネシアが挙げられます。

そういうことを勘案すると、ASEANを新しいアジア版NATOに編成出来るかといえば、たぶん無理でしょう。では、クワッドをアジア版NATOのハシリに出来るのか。インドは日本と同様に反中に関してはコロナ以前まではうんと強気だったのに中国からワクチンを供与されはじめるや、腰が引けています。というのも、インド経済も中国経済に頼っているからです。イギリスはクワッドに参加しそうですが、そのイギリスは自国主導で、「ファイブアイズ」(アメリカ、イギリス、ニュージーランド、オーストラリア、カナダから構成される政治的、軍事的な情報を共有する同盟)に日本を入れて、「シックスアイズ」にしようとしています。当事国の日本でなく、イギリスが兎に角、スカウトに積極的です。世界は、日本の知らないところで、反中で動いている。これに対して日本は本当に動きが鈍い。

石平　その点、私自身もビックリしています。ただ、今もハッキリと理解できていないのは、どうしてイギリスがここまでやるのですか。空母打撃群をアジアになぜ派遣するのでしょうか。

宮崎　イギリスは、アメリカと違って外交的に「敵と味方」を間違えたことはありません。攻撃する時間を間違えたことはありますが。

石平 たしかにそうですね。

宮崎 イギリスは、日露戦争の前に締結した「日英同盟の復活」を、いま狙っている。それが、一番の目的だろうと考えられます。二番目に、世界覇権を確立したという経験がイギリスにある。覇権の原則、やり方を熟知している。今は飛行機の時代ですが、海運が主流だった大航海時代にイギリスの世界戦略は、チョークポイント（戦略的に重要となる海上水路）を抑えることでした。つまり喜望峰、ジブラルタル、スエズ運河、マラッカ海峡、パナマ運河、マゼラン海峡などのシーレーンを抑える。そしてボスポラス海峡（トルコのヨーロッパ部分・オクシデントとアジア部分・オリエントを隔てる海峡）はロシアを抑えるためには必要との認識があった。今でもイギリスとトルコは準同盟のような関係です。

今は北極圏とか、宇宙にも拠点が必要だとイギリスは考えています。その一環として、どこにレーダー基地を置かないといけないのかなど戦略を練っているのです。それをアメリカがイギリスから教わっています。アメリカ軍の海外基地は世界中に二百か所ありますが、この展開にイギリスの世界覇権の知恵が働いているのは確かです。この駐在基地の運営に、アメリカ政府が負担している金額はすごいものがあります。

一方、日本はGDPの一%しか国防費に投じていません。社会保障費は国防費の七倍にもなります。こんなに、さまざまな意味で「いい国家」は他にはないですね。ものすごく、日本国民は恵まれている。高齢者や貧困者への医療にせよ国家が支援しています。だって貧乏な人でも病院に行けるじゃないですか。アメリカでは、貧乏人は病院に行けません。だから新型コロナウイルス感染でアメリカではたくさんの人が死ぬんですよ。日本で、こうした（社会保障費偏重という）構図を変えるには、「ペリーの黒船来航」のような危機が日本に起きなければ、たぶんダメだろうね。

石平　インド太平洋や、東シナ海、台湾の危機は日本にとっても大変な脅威で国益に直結します。ですから、日本民族を守るという強い決意が求められると思います。それにしても、イギリスが、遠いアジアの情勢を心配して軍艦を派遣する。イギリスはどういう国益上の理由からアジアに関わっているのでしょうか。

宮崎　やっぱり、香港問題が一番、癪《しゃく》に障《さわ》ったでしょう。あと二十三年間「一国二制度」は守るという約束を、中国は一方的に反故《ほご》にした。ということで、イギリスのメンツは丸潰れなのです。それと、イギリスはあの小さな香港島だけが領土ではないと考えています。オーストラリア、ニュージーランド、カナダなどとも英連邦として友好関係があり、それらの国々を守ることも「盟主」として国益と考えているのです。これこそが「同盟」の神髄。植民地時代の香港の切手の肖像はエリザベス女王だったのですよ。

世界の国々から嫌われる中国

石平　そうとも知らずに、習近平政権はイギリスをはじめ、次から次へと先進諸国を敵に回していった。墓穴を掘りつつある。

宮崎　それから、もう一つ。英国やフランスにとってアジア太平洋に国益を持つ側面がある。いわゆる太平洋諸島です。かつて半分が、イギリス領でした。フィジーとかトンガもそうでしたね。そこに、中国が入り込んできて海底ケーブルを引こうとした。これは、オーストラリアの安全保障に微妙な影を及ぼすことになりかねない。かつての宗主国としてイギリスは、オーストラリアを支援する義務があるわけです。フランスも核実験場としてこの地域に関係が深く、タヒチやニュー・カレドニアなどを統治しているわけです。中国の太平洋諸島荒らしを見て見ぬフリをするわけにはいかない。

そのオーストラリアですが、北部ノーザンテリトリィ州にあるダーウィン港の管理運営権を、州政府は中国企業に一九九九年、四百二十億円で貸し出す契約を結んでいた。同湾内には豪海軍基地、近くに訓練基地。そして米海兵隊二千名が駐屯している重要な戦略拠点です。「安全保障上、深刻な問題ではないか」と、当時の豪政府も驚いた。ノーザンテリトリィ州が勝手に決めたのも、港湾の近代化工事予算を中央政府が十三回も否決してきたため、頭に血がのぼった当時のジルス州政府首相が、腹いせに中国企業と契約した。主契約は嵐橋集団の子会社。嵐橋は中国海運業の大手です。

米シンクタンク「CSIS」の報告書(二〇二〇年七月八日)によれば、「世界の港湾の三十五港に中国は港湾近代化などとして、二〇一〇年から二〇一八年までに千三百二十億ドルを投資した。この資金の多くは中国輸出入銀行の貸し出し、そして政府の補助金。くわえて『社債』を発行してまかなった。同期間に中国の海運輸送は四倍となった。社債は二百九億ドルが発行され、このうち百五十一億ドルが造船企業に廻った」と言っています。

二〇二一年四月二十二日、豪外相のペイン(女性)は「中国の借金の罠」から私たちは抜け出す。国益に基づいた行動を取る」と記者会見で語り、中国の「一帯一路」プロジェクト関連で、豪ビクトリア州政府と中国が締結した二件の契約を撤回させることにした。

そのうえで豪政府は「安全保障上、利用制限を含めての見直しを検討している」としており、二〇二〇年には「地方自治体が（過去に）外国政府と結んだ協定が、連邦政府の外交方針と一致しなければ、無効に出来る」法律を制定しています。日本もすぐさま、この豪政府の法制化を見倣うべきでしょう。つまり北海道などで中国に買収された土地契約を無効にできる法律です。

対中強硬派で知られるダットン豪国防相は「南シナ海で中国が軍事活動を展開しており、米国との共同軍事訓練を強化する」と発言しています。

在豪中国大使館は「強い不快感と断固とした反対」を表明し、「オーストラリアが新たに中国に対し理不尽かつ挑発的な行動を取った」と批判していますが、豪中関係の冷却化は極まれりということで、いよいよ本格的対決ムードとなってきましたね。対中外交は本来こうあるべきですよ。

石平　中国はまず、ファーウェイの問題で、関係が良好だったカナダを敵に回し、コロナ禍で、発生源調査に絡んでオーストラリアと対立。そのオーストラリアでは、日本でも翻訳されたクライブ・ハミルトン氏の『目に見えぬ侵略　中国のオーストラリア支配計画』『見えない手　中国共産党は世界をどう作り変えるか』（飛鳥新社）が出てから政府や国民の中国への警戒心が高まり、ワインなんかに高課税を課したりする中国への反発は強まるばかり。

インドとは国境で軍事的対立まで起こし、最後は、香港や新疆ウイグル自治区の人権問題で一気に多くの国と対立した。台湾にも難癖つけてパイナップル禁輸なんてやったけど、中国への輸出分は日本が買ってくれて何も困らなかった。そして、中国は香港問題でイギリスを完全に敵に回しましたが、習近平たちはイギリスの怖さを分かっていない。四面楚歌にも気づいていないんじゃないか？

宮崎　イギリスに対しては、アヘン戦争を仕掛けられた歴史的屈辱をはらしたい。中国は、当時、鄧小平でしたが、あの返還交渉を振り替えると、その一心でした。

石平　私はイギリスが対中政策で重い腰を上げたことはすごく、世界史的に見ても大きな変化を感じるのです。空母打撃群を派遣してくるとは思ってもみなかった。しかも、一週間とか、二週間滞在するという話ではない。遊びに来るわけではありません。長期滞在です。軍事プレゼンスを中国に見せつけるわけだ。

宮崎　フランスも来ますが、前述したように、タヒチやニューカレドニアはいまだにフランスの海外領土です。通貨は『フランス植民地フラン』というやつです。

石平　あとは、日本はどうするかの問題だけですね。逆に日本が対中包囲網形成の流れから抜けたら、世界中から笑われる。遠い国のイギリスやフランスなどがアジアまで軍艦を派遣して中国と対峙しているのに、一番の近隣の当事国の日本が、その包囲網から抜けるのは許されないと思う。

宮崎　ちょっと古い話になりますが、二〇一七年二月二十八日の米国議会公聴会で民主党のブラット・シャーマン議員（民主党筆頭委員）が「トランプ政権が日本の施政下にある尖閣諸島の防衛を約束したことに反対する」と発言したことがありました。

この公聴会は下院外交委員会のアジア太平洋小委員会が開いた「中国の海洋突出を抑える」と題するもので南シナ海、東シナ海における中国の膨張を米国はどのように抑え込んでいくかが主題でした。当時のトランプ政権は、大統領をはじめ国務・国防両長官までが尖閣諸島への日米安保条約第五条の適応を明言し、尖閣が万が一にも攻撃された場合、米軍の出動を約束していました。今のバイデン大統領も一応表向きには同じ立場です。

ところが、シャーマン議員は、トランプ政権の対日安保政策を批判したのです。つまり「日本は憲法上の制約を口実に米国の安全保障のためにはほとんど何もしない。米国は日本側の無人島の防衛を膨大な費用と人命をかけて引き受けるのは理屈に合わない。日本側はこの不均衡な自国の憲法のせいにするが、かといって『では憲法を変えよう』とは誰もいわない」と苦言を呈したのです。

そして、シャーマン議員は二〇〇一年九月十一日に起きた同時多発テロで米国人が約三千人殺され、ＮＡＴＯ（北大西洋条約機構）同盟諸国は初めて集団的自衛権を発動し、米国のアフガニスタンの対テロ戦争にも参戦したことを指摘しました。

「だが、その時の日本は憲法を口実に米国を助ける軍事行動を何もとらなかった」と。

「日本はもう半世紀以上も米国に守ってもらったのだから、この際、憲法を改正して米国を助けよう」と主張する政治家は日本にいたのか、と疑問を投げかけたのです。

石平　日本に重い課題を突き付けられたのは間違いないようですね。

それでも中国に配慮するバイデンには要注意

宮崎　そして、気になるのが、今回の日米首脳会談を受けた中国の反応です。ご承知の通り共同声明は四月十七日に発表されました。同日に中国外務省ではなく、アメリカの中国大使館が「中国の根本利益に関わる問題で、干渉することは許されない」「強烈な不満と断固とした反対」を表明したのですが、その二日後の十九日になって、ようやく中国外務省報道官が「国際秩序を提議する資格はない」などと、正式に反発しました。が、やけに中国の反応が遅いし、抗議の度合いが緩いような気がしてなりません。だって、最初に抗議したのは、中国外交部（外務省）ではなく、出先の大使館ですよ。

石平　この日米共同声明の中で、「中国との率直な対話の重要性を認識するとともに、直接懸念を伝達していく意図を改めて表明し、共通の利益を有する分野に関し、中国と協働する必要性を認識した」という文章が盛り込まれていました。中国との対話はしていくとの姿勢を一応打ち出していたので、中国も居丈高に批判するのをちょっとだけ手控えたのかもしれませんな。

宮崎　しかし、習近平相手に話し合いで解決できるなんて本気で思っているのでしたら、間違っています。話し合いで解決できる〝お国〟ではないことは、ウイグル問題一つとってみても分かっているでしょう。ノーテンキな媚中派のオバマ政権時代の元国務長官のジョン・ケリー気象担当特使が日米首脳会談に合わせて上海に行って、中国の解振華《かいしんか》・気候変動担当特使と会って、共同声明を出し、緊密な協力をしていくことで、米中は合意しました。これは、バイデン大統領の微妙な中国への配慮です。

石平　四月二十八日の上下両院合同会議の施政方針演説でも、バイデン大統領は中国習近平のことを「専制主義者」呼ばわりはしましたが「独裁者」「全体主義者」とまでは言い切らなかった。

宮崎　それでも、なぜ、アメリカは共同声明で覇権主義的な行動を強める中国に対決する姿勢を強く打ち出したのか。それは、アメリカ国民と中国向けジェスチャーかも知れません。有事にならないように中国を封じ込めようとしていると考えられるからです。

後ほど詳しく述べますが、仮に台湾が中国の手中に陥ったら、アメリカのハイテク産業が打撃を受けます。だから世界最大の半導体メーカーのＴＳＭＣ（台湾積体電路製造）に最新鋭工場をアメリカに建設させるのです。アメリカは最悪の事態を想定して着々と手を打っています。台湾を守りたい、でも万が一台湾を失っても半導体の供給を守ればまだよし……。同様に、日本を守りたい、でも日本を失っても……そういう思いをアメリカは持っているかもしれない。そうさせないためにも、日本も先ずは自国を守るための対策を真剣に考え、すぐに実行に移す気構えが必要ではないでしょうか。

そのうえ、台湾に追い上げられ、あるいは次世代半導体競争でＴＳＭＣに抜かれたと認識するのが嘗て「半導体の世界一」だったインテルです。

米国インテルがアリゾナ州に新しく工場を新設するのも、バイデン政権の強力な後押し、とくに税制支援の展望が拓けたからで、再び首位の座の復権を狙うとしています。

これを業界は「ウィンテル」と名づけましたが、それもウィンドウズのマイクロソフトがインテルのファウンドリ事業復活に積極的協力姿勢を示したからです。

石平　なるほど。ともあれ、アジア版NATOを作るためにも、憲法九条の改正は絶対必要です。そのためにもようやく「憲法改正国民投票改正案」が五月の国会で成立したのはよかった。一歩前進でしたね。

第二章

嘘で塗り固められた中国経済に崩壊の兆し

崩壊寸前の中国経済なれど、生命維持装置を着用してゾンビ化

編集部　それにしても中国経済はなかなか崩壊しないですね。前著『ならず者国家・習近平中国の自滅が始まった！』でも「自滅」「自壊」はまもなくと予見していたのですが……。

宮崎　既に、中国経済は崩壊を始めています。そのトレンドはここ十数年一貫して不変です。ただ、中国当局があらゆる画策をして世界にバレないように誤魔化しているだけ。ひと言でいえば、「死に体」になっているというか、「ゾンビ」になっているのに「生命維持装置」を付けて生きているようにみせているだけ。

とにもかくにも、アメリカから中国にカネが入っているでしょう。それが、中国経済のカンフル剤となっているのです。中国共産党幹部の隠れ資金がタックスヘイブン（租税回避地）で有名なケイマン諸島に流れています。習近平の義兄もここに会社を設立し、相当な額の隠れ資金があるといわれています。タックスヘイブン全体で天文学的な隠れ資産があるといわれていますが、この資金の半分くらいがアメリカ経由で中国に還流し

ています。

　また、もう一つ。トランプ政権は中国からの輸入に高関税をかけたものの、貿易は減っていません。中国関税総署の発表によると二〇二一年一～三月の輸出は前年同期比四九％増の七千九十九億ドル（約七十七兆円）、輸入は同二十八％増の五千九百三十六億ドル（同六十四兆円）と増加し、輸出から輸入を差し引いた貿易黒字は千百六十三億ドルとなりました。新型コロナウイルス感染拡大で輸出が急減した前年（二〇二〇年）に比べて九倍に膨らみました。輸出が伸びたのは新型コロナワクチン、マスク、レアアース、家具、衣料品、さらにパソコンなど電子機器が好調だったからです。輸入は穀物、鉄鉱石、原油を中心に増加しました。国別では、とりわけ輸出全体の約二割を占めるアメリカ向けが伸びました。アメリカ経済と中国経済の抜き差しならぬ関係を反映している数字だと思う。

　この貿易黒字とケイマン諸島からの資金還流で、何とか、中国経済はコロナ以降も表向きには保たれているという感じです。ただし、心臓は止まっているからね（笑）。なぜなら、中国の銀行が機能していないからです。すでに、どうにもならなくなった国有企業、不動産会社、地方政府に対して裏で借金返済の繰り延べをやり、いろいろな手を使って何とか、問題を先送りしていますが、それも限界が来つつありますね。

石平 今、宮崎さんが言われたように、巨大な金融資金援助を行い、不動産会社をなんとか、潰させないようにしています。それにより青息吐息にある中国経済が何とか保てています。中国政府が発表した二〇二〇年の経済成長率は二・三％だけど、それが本当の数字かどうか非常に疑わしい。というのも政府が同時に公表した二〇二〇年の小売り売上高の総額はむしろ三・九％減です。二〇一九年より、さらに消費が縮まっているのに、どうしてGDP全体がプラスになったのか。不思議でなりません。

宮崎 それはアリババも影響していると思う。独身の日（十一月十一日）の一日だけは、すごい売り上げを達成しているからね。逆に市民はこの日まで、消費を控えている。店舗へ買い物に行かなくなってしまった。

石平 アリババの独身の日は、全体を俯瞰すればその効果はたいしたことはない。二〇二〇年において中国で一番、元気だった産業は何かというと結局、不動産投資でした。それが今、大きな問題として浮かび上がってきたのです。政府公表の不動産開発投資額の伸び率は七％増でした。経済全体の伸び率が二・三％増加だったので、不動産投資は、その三倍以上に増えたわけことになります。宮崎さんが指摘されたようにアメリカから還流した、そのカネは結局、不動産投資に向かったのです。

宮崎　不動産投資こそ中国経済の生命線ですからね。

「灰色のサイ」が暴れる

石平　そして、闇雲な不動産投資を可能にしている背景に何があるのか。結局、中国の金融システムが不動産に莫大な資金をつぎ込んでいるわけですよ。それで、中国金融保険監督管理委員会主席で、しかも中国人民銀行副行長（副総裁）である郭樹清《かくじゅせい》氏が二〇二〇年十二月一日と、全人代開催前の二〇二一年三月二日の二回、連続して不動産問題について面白い発言をしました。

まず十二月一日に、「不動産はわが国の金融安全を脅かす最大の危機といえる『灰色のサイ』となっている」と指摘したのです。「灰色のサイ」というのは、普段、おとなしいサイが、一度暴れだすと手が付けられなくなるというイメージから付けられた言葉です。想像もしなかった巨大なリスクが顕在していることを意味します。

続く三月二日の発言で、不動産市場は確実に巨大なバブルになっていることを明らかにしたのです。

「不動産分野の核心問題はバブルが依然として大きくなっている。多くの人々が住むためではなく、投資あるいは投機のために不動産を購入している。それは極めて危険だ」と不動産投資の危機について言及したのです。

そして、「このような市場のままで、不動産価格が下落したら、多くの不動産所有者は多大な損失を被って銀行ローンを返済できなくなる。これで銀行が貸し出した頭金やローンなどの融資を回収できなくなり、経済生活は大混乱に陥るであろう」と。「リーマンショック」以上のバブル崩壊という危険水域に突入した不動産事情を赤裸々に語ったわけです。不動産の深刻な問題は人々が住むためではなく、投資、あるいは投機のために不動産を購入していることに起因していることを示唆していた。

さらに注目すべきは、二〇二〇年十二月、中国社会科学院が公表した「中国住宅ビッグデータ分析レポート二〇二〇」です。大都市で不動産下落が発生していることに触れて、ピークから北京は十五・八％、天津は二十一・八％、青島は二十二・八％それぞれ下落し、地方都市によっては半値近くまで暴落していることを認めたうえで、不動産価格は「これ以上、下落することはない」としつつも、いわゆる〝不動産神話〟の時代は終焉を迎えたと指摘したのです。

宮崎　現に中国の不動産屋の店先でビラを見ていると、店員が飛び出してくるし、もっと驚くのはガラスに貼ってある物件のなかに、じつは日本とか外国のマンションの売り出しものが多数混ざっている。

石平　このままでは、さらに不動産価格は下落する危険性が高い。となると、不動産を保有する人たちは、一刻でも早く売りたいので、売りに走る。だが買い手がいない。すると、売り手はさらに価格を下げる。こうして価格下落のスパイラルに陥る。

その一方、不動産価格の下落で、莫大な損失を被った不動産所有者は銀行に住宅ローンの返済ができなくなる。銀行が不動産購入者に貸した、頭金やローンが回収できなくなると金融危機が現実のものになってきます。今、中国政府の金融当局が一番、心配しているのは、不動産バブルが崩壊して金融がダメになることです。金融機関が大量の不良債権を抱え経営破たんすることを怖れている。だからといって、金融機関を助けるために、不動産売買を強制的に止めさせるわけにはいかない。止めさせたら、それこそ、不動産は暴落を招く。ですから、不動産産業に大きく依存してきた中国のGDPは確実にマイナス傾向を鮮明にすると考えるべきです。今の中国経済は、そういう状況ではないですか。

部屋のカギを渡さない不動産屋？

宮崎　金融を上から目線で解説するとそうなのですが、一般庶民、つまり下から目線で見ると、マンションを騙されて買った市民が沢山います。ローンを払い続けているのに、いまだに入居ができない。業者が部屋のカギを渡してくれない。なぜなら開発業者が潰れているからです。

実際の話、中国南西部の雲南省にある都市、大理市で小規模な企業経営者のリーさんが、二年余りもマンションの引き渡しで待ちぼうけを食わされ、現在は両親も同居する形で、家族と狭い借家に暮らしているといいます。

「開発業者は二〇一八年末から都合四回も引渡しを延長している。彼らへの信頼は、もう完全に失せた」と。リーさんと別のもう一人の買い手によると、開発業者から建設業者への支払いがないため、住宅の鍵を渡すことができない状況だと説明された（四月二日付、ロイター）とのことでした。

北京当局は不動産価格が上がっていると発表しますが、実際どこの不動産が上がっているのでしょうか。中国国家統計局が発表した二〇二一年二月の主要七十都市の新築住宅価格は前月比〇・四%上昇し、伸び率は一月の〇・三%から加速し、五カ月ぶりの大きさになったと新聞紙上などで伝えられました。そして、住宅価格データによると、前月から価格が上昇した都市の数は五十六と、一月の五十三から増え、二〇二〇年八月以来の高水準を記録した（三月十五日付、ロイター）というじゃないですか。

だけど、石さんが先ほど指摘していましたが、実態は、不動産価格は上がっていません。北京、天津、上海、広州で、そしてついに深圳《しんせん》までも下落を始めました。その理由は何か。これまで不動産価格が上がりすぎたのと、個人消費の低迷が、マンション価格の下落につながっているのです。さらに、いろいろな要素が絡まって、さらに価格は落ちていく可能性が高いと考えられます。

もう一つ、リゾート地の不動産価格が落ちていることも深刻です。中でも海南島は無残なものです。マンションが三千棟近く建ったのですが何と半分しか売れていません。

金融面の不動産融資規制によって不動産市況が暴落に向かうのか、それとも購入した人たちが住宅ローンを払えなくなって、地方銀行など金融機関が潰れて、バブル崩壊が現実になるか、そのどちらかというところですね。

石平　不動産ディベロッパーの経営が大変なことになってきたようですね。

宮崎　資金繰りが相当、悪化しています。多くのディベロッパーは資金を調達するために、社債を発行しています。その利回りが五％とか、中には十四％と、今の低金利時代に考えられないぐらいに高い。それだけ、中国の不動産会社は投資家から信用されていないのです。

超一流の不動産開発会社といわれてきた恒大集団のドル建て社債ですら金利は何と十四％になっています。石さんがいったように、二〇二〇年の公式発表でGDPの成長率が二・三％。それを考えたらこの高金利を払えるはずがありません。まさしく逆ザヤで、自転車操業です。社債返済の資金作りのために社債を発行する。このように経営は追い込まれています。だけれども、中国経済は、なかなかしぶといです。なにしろゾンビだから（笑）。

中古マンションの動向に不安が募る

石平　でも、不動産は二〇二一年、けっこう危険な水域に突入したといえると考えています。というのも二〇二〇年、北京郊外や天津郊外の中古マンションが、売れなくなってきたからです。結構、中古物件の価格は落ちてきています。天津郊外で価格がピークに比べて半分になった。中国の中古市場は新規分譲市場以上に業界の動向を占ううえで重要です。普段、みんな住むために買っているのなら、そんなに中古マンションが売りに出されることはないでしょう。しかし、中国は逆です。住むためのマンション購入は全体の何割しかありません。大半は住まないで、財産として持っておくことが目的です。

そのマンションは購入した瞬間から中古になってしまう運命です。最初から高値で、売るつもりで二軒目、三軒目を購入するから。しかし、思惑が外れ中古が売れなくなると、「地獄」が待っている。

たとえば、中古マンションを三軒、買ったとします。三軒とも、銀行からローンを借りて購入。購入者の期待通りに高騰し、高値で売却できたとします。それなら、住宅ローンを返済しても、かなりの儲けを手に入ることができます。だが、逆に売れなくなると、三軒すべての住宅ローンを毎月払うことになる。経済が低迷して、中小企業が潰れて、購入者が失業すると途端にローンが払いきれなくなります。そうなると、一軒でもいいから中古マンションを手放したくなる。ローンの負担を少しでも軽くしようとするからです。

同じように失業した人は所有しているマンションを一斉に売りに出す。しかし、さらに値下がりが予想されると、買う人はますます慎重になり少なくなる。そうすると、売り手は焦って、さらに競って値引きします。それが、不動産価格の暴落につながる。

宮崎　マンションのバーゲンセールだ（笑）。

石平　二〇二一年二月、北京郊外で起きた面白い話があります。四十万元の頭金を払って、マンションを一軒購入し、その後四年間、ローンを払い続けました。しかし、今になって、ローンの支払いが重荷になったので、そのマンションを手離すことにしたのです。しかし誰も買ってくれません。だが七十万元のローンが残っている。

そこで、このマンションの持ち主はどうしたか。「残りのローン七十万元を払ってくれれば、このマンションをタダでプレゼントします。誰かいませんか」という広告を出したのです。ようするに、払った頭金と、四年間分のローンは諦めると。「パー」でいいと。ただ、残りの七十万元というローンがどうしても払いきれなくなって、こうなってしまった。中古物件は益々、売り一色となり値下がりする公算が大きいと思います。

中国の場合、中古物件といっても別に一年間とか、二年間とか住んでいたわけではありません。住んでいないので、新品と同じです。そうなると、余計にみんな新規分譲は買わなくなります。中古でも新品に近くて、しかも、安く買えるからです。中古物件が割安で買えるなら、別に新規分譲を購入する必要はない。だから、業者は新規分譲物件も値下げして売るしかないのです。中古の値下がりが新規物件の価格に見事に反映しているのです。

先日聞いた話では、天津郊外の新規分譲マンション価格が一平米当たり二万五千元だったものが、あっという間に八千元になってしまったそうです。しかも、付随して駐車ペースもただでプレゼントするというから驚きです。それでも買い手がつかないと業者が嘆いていました。そういう現場の声を聴くと、近い将来、中国の不動産市場は完全に崩壊の道をたどる可能性が非常に高いというしかない。

個人店主の倒産が価格の下落に拍車

宮崎　日本でも、似た例として越後湯沢の中古マンションがある。ある人が、十数年前に購入したときは二千万円でしたが、今はたったの二十万円にダウン。ただ、売却するのに条件があると。これまで、溜まりにたまった管理費を、一括して払うこと。そうすると千五百万ぐらいになるのですね。ところが、ある新興宗教団体が二十万円で買って、マンションに引っ越ししてきました。しかし管理費を払わないのです。それでも、住んでいるらしい。中国人に似てますね。

ところで、石さんの話を聞いて伺いたいことがあります。

中国の場合、マンション分譲はコンクリートが剝き出しのままですよね。もちろん、部屋にはインテリアがなく、トイレにしても、浴室、キッチン、蛍光灯もマンションを購入した人が、あとから買って付けますね。余談ですが、日本の住宅メーカーである積水ハウスが、初めて内装完備したマンションを中国で分譲したら、中国人はすごく喜んでいたそうです。

いずれにしても中国の中古市場では、これまで一度も人が住んだことがないマンションを売るわけですから、コンクリートが剝き出しのまま、何カ月も経ちます。コンクリートというのは、施工した後でも、水や空気を吸わないといけないことが最近の研究で分かってきたのです。ところが、人が住んでいないと窓は閉めっぱなし。空気の入れ替えをしていないコンクリートはどうなるか、カビが発生したり、脆くなり、ひどいことになるそうです。そしてネズミや、ウジ虫が室内に発生したりする。そういう不満は聞こえて来ませんか？　実態はどうなっているのだろうか。

石平　そういう情報は聞こえてきませんね。

宮崎　中古物件情報は日本のリクルートのようにパソコンで検索すれば出るようになっているわけですか？

石平　一応、概観とかの写真は掲載しています。

全体的なことをいえば、中古物件が売れず、その影響を受けて新規分譲も値下がりすると、不動産開発業者の経営は益々苦しくなる。不良物件の在庫を大量に抱え込み、経営は二進も三進もいかなくなる。その日が必ず来る。

しかも、売れ残りに追い打ちをかけているのは、後述しますが人口減少です。

加えて、住むためにマンションなどの不動産を一番、持ちたい人たちといわれている中産階級が、衰弱していることが深刻です。たとえば、二〇二一年三月二日に中国新華社通信傘下の雑誌『半月談』で驚きのニュースが伝えられました。

中国には「個体戸＝自営業者」と呼ばれる零細企業よりさらに小さい個人経営の自営

業店があります。具体的にいうと、数坪しかない店舗スペースでファッションや、骨という品、装飾品、食料品を売っています。そうしたお店が去年一年間で三百一万店も登録から消えたというのです。休業したり、閉店してしまったわけです。

また、中国の小売が厳しいというニュースは他にもたくさんあります。

たとえば、産経新聞でこんな記事が掲載されていました。

「『この1年で付近の店は4割くらい潰れた』

北京市北東部の望京地区で、海鮮料理店の男性経営者がため息をついた。昨年、北京では感染防止のための制限措置が何度も取られ、そのたびに飲食店は休業や来店客減に苦しんだ。男性経営者は『一年の半分は営業できなかった』と話すが、当局による補償はなかった」(二〇二一年四月十七日付)と報じています。

さらに、日本経済新聞では、「新型コロナウイルスが最初に広がった湖南省武漢市では都市封鎖が解除されてから一年経過しましたが、中心部にある大型ショッピングセンター『光谷国際広場ではコロナの影響で二〇二〇年七月以降、ドンドンお店が撤退して、残るは十店ぐらい』。また、別の大型商業施設『魯巷広場購物中心』も二〇二一年四月一日に閉鎖した」そうです(二〇二一年四月八日付)。このような報道からも分かるように、中国の小売業界は今や厳しい状況に置かれているのは間違いありません。日本以上に深刻なのです。

膨大な銀行の「隠れ不良債権」

宮崎　ちなみに、中国の観光業界も日本以上に悪いですね。二〇二一年の春節（旧正月）休暇の旅行収入は、二〇二〇年の春節に比べると武漢四十九％減、蘇州二十一％減、成都市三十八％減、南京市二十四％といずれも酷い落ち込みとなって、全国トータルでも四十一％も減少したのです（二〇二一年四月八日付、日本経済新聞）。石さんが指摘したように、中国経済の一翼を担っている個人消費は相当、打撃を受けているね。

にもかかわらず公式統計では、中国国家統計局が四月十六日に発表した二〇二一年一～三月の国内総生産（GDP）は物価の変動を除いた実質で前年同期比一八・三％増えたことになっている。輸出や投資など企業部門が堅調だったというわけだけど、個人消費の落ち込みをかなり糊塗《こと》しているのは間違いない。

石平　二〇二〇年は消費不振により、小売業界全体の売上高が三・九％減り、そうした中で大量に個人商店が潰れたわけです。私は、何人も個人商店の店主を知っていますが、大抵の個人店主は少しでも儲かると不動産を買います。これまで、個人店主は不動産購入層の主役となっていたのです。儲かったおカネは、お店の再投資に使いません。なぜなら、商売より不動産に投資した方が儲かっていたからです。それを長いこと繰り返してきました。しかし、ここにきて消費の極端な冷え込みで個人商店が相次ぎ倒産し、状況は一変したのです。

個人商店は、今後はどのようにして生き残るのか。それは、持っていた不動産を一軒、場合によっては二軒売るしかありません。売却して資金を回収して、ローンを返済する。そして残ったおカネを生活費に充てる。何百万人という個人店主の不動産所有者が、競って二～三軒の中古物件を売るようになってきたら、不動産市場の総崩れが始まるんじゃないのかと見ています。今年から来年にかけての一年間は、そういう状況になるでしょうね。

宮崎　これからの中国経済は、混乱に拍車がかかるね。アメリカのシンクタンク、ピーターソン国際経済研究所によれば、個人店を除く中国企業が二〇二〇年一月～六月の上半期だけでも、二百三十万社倒産したと分析しています。これは、中国全体の会社数の約六％にあたるというのです。仮に、日本で株式会社の六％が倒産したとしたら社会はパニックですよ。ちなみにピーターーソン国際経済研究所は親中派です。

しかも、これはシンクタンクの割りだした数字です。実態はもっと酷いと想像されます。そこで、問題なのが、このしわ寄せがどこに来るかです。地方銀行の不良債権が溜まっているはずです。それを地方銀行は全部、経理上操作して誤魔化している。繰り延べしているだけです。

実際、北京政府は新型コロナウイルス対応として銀行の元利払いの繰り延べを認めてきました。その規模は中国銀行保険監督管理委員会によると、二〇二〇年末時点で六兆六千億元（約百十兆円）に達しているといいます。この措置は二〇二一年三月末に期限を迎えましたが、北京政府は返済期限の延長をしたようです。それでも銀行側は経営に影響するような不良債権はないと言い張っている。

そして、不良債権がどれぐらいあるのか。「隠れ不良債権」が表面化すれば、相当な金額になるはずです。二〇二〇年の末時点で、当局は中国の銀行の不良債権残高は三兆五千億元だったと公表しています。実際はこの十倍以上あって日本の国家予算に近いと考えています。

石平　中国銀行の不良負債だけでも中国ＧＤＰの倍以上ある。

中国全体の不良債権は一京四千兆円を超す？

宮崎　また中国全体の負債は一京円を超えるという数字があります。中国の朱鎔基元首相の息子である朱雲来は、二〇一八年の非公開の席で二〇一七年末の中国全体の債務は六百兆元（一京円）をすでに越えたと発言しました。朱雲来は債務の内容まで踏み込んでいます。銀行系は三百九十九兆元、証券系は八十七兆元、保険系は十五兆元、ファンド系は十一兆元、その他八十八兆元、闇金融系が六十八兆元で、それを合計すると六百六十九兆元（一京六百兆円）になる計算です。

これは、二〇一七年末時点での数字。では、それが二〇二〇年末にはどうなっているのか。正確には分かりませんが、膨らんでいるのは確かです。では、どのくらい膨らんだのか。

大雑把に計算してみます。負債はＧＤＰの二倍の勢いで伸びたことを前提にして計算します。なぜ、二倍なのか。朱雲来が「中国経済が、平均して年率十％近く成長してきた期間に、債務はその二倍の勢いで増えていた」と証言しているからです。

つまり、二〇一八年から二〇二〇年までの間、年平均してＧＤＰが五％成長（二〇一八年六・九五％、二〇一九年五・八二％、二〇二〇年二・二七％）を遂げたとすると、負債の合計は二〇二〇年末には約八百九十一兆元（一京四千七十八兆円）になった勘定となります。これは、あくまでも仮定の計算数字ですが、二〇一七年に比べて約三割も膨らんだことになります。

石平　中国金融保険監督管理委員会が公表した数字によると、二〇二〇年の初めの時点で、中国の各金融機関から貸し出された不動産関係の融資残高は四〇・一六兆元（七百三十五兆円）に達していたといいます。同じ年の中国のＧＤＰの四割以上、日本のＧＤＰ（二〇二〇年は約五百三十九兆円）の約一・四倍に相当する巨額のもので、その大半は個人向けの住宅ローンです。その半分でも不良債権に化けてしまったら、不動産と金融界は窮地に立たされることは、ほぼ確実です。

それでは、金融界はこうした事態に、どのように対処しようとしているのか。前出の中国人民銀行副行長（副総裁）の郭樹清氏の答えはすでに出ています。二〇二一年に入ってから中国の一部地域にある銀行において、個人向け住宅ローン業務を「一時的」に停止しているとの情報があちこちから、すでに上がってきています。加えて、三月になると、ニュースサイトや経済紙上で近いうちに「全国金融機関による住宅ローン業務が停止」になるとの情報が出回っています。もし、これが本当であれば、中国の不動産市場にとってまさに悪夢の到来です。

三十五億人分の不動産在庫

宮崎　そもそも、中国ではマンションを作り過ぎたのですよ。習近平さえ言っているのです。「不動産とは人が住む所だ。投機の対象ではない」と。

石平　そうです。中国の不動産産業が抱えるもう一つの問題は、不動産投資のやり過ぎと、不動産の作り過ぎ。たとえば、二〇一九年の場合、全国の不動産投資総額は一三・二兆元（約二百二十二兆円）にものぼりました。二〇一九年の中国のGDPは概ね百兆元でしたから、国内の不動産投資がGDPの一三％強も占めるという異常事態です。ちなみに、同じ二〇一九年における日本国内の商業用不動産投資額はただの四兆一千四百四十八億円と、中国のそれの二％にも満たないのです。

さらに、住宅在庫（中国では「空置房」という）はどれぐらいあるのかという話です。一説に六千五百万戸あるといいますが、最近では、もっとひどい数字が、出回っています。十一億六千戸あるというのです。この数字に基づいて、一戸に家族三人が住むことを前提に単純計算すると約三十五億人分の住宅在庫がある勘定になります。ご存じの通り、中国の全人口は十四億人ですから、すでに作りすぎているのは明らかです。上海でも北京でも多くのマンションに人は住んでおらず、部屋に電気は灯りません。

ここまで在庫が山積していると、いくら投資的・投機的購買需要が旺盛であっても不動産価格は早晩にも頭打ちとなって下落に転じるのは自明の理といえます。

宮崎　まったく売れていない不動産はどれぐらいあるのか、それが一つのポイントですね。

それにしても空き家を清算するのは、買い手がほとんどいない状況下、他人事ながら大変だなぁ。

石平　中国全国の不動産が住むためのものと考え、全人口を収容しても、それでも余ってしまう。理論的に不動産市場は完全に飽和状態にある。マンションの高層ビルを建設すれば建設するほど、意味のないコンクリート建築物ができるばかり。しかし、不動産開発をやらないと、中国経済は完全に失速してしまうことに問題があります。

どんどん作る「新幹線」「高速道路」「飛行場」の無駄

宮崎　不動産開発だけではありません。中国共産党政権はインフラ整備に、ことさら力を注いでいます。それで、生コンクリートが足らなくなってしまったため、中国の生コン業者が台湾領海まで密かに行って海砂を盗んでいるくらいです。台湾の沿岸警備隊によれば、領海内に不法侵入する中国の浚渫《しゅんせつ》船の数が近年急増して二〇一八年に七一隻、一九年には六百隻、二〇二〇年十一月までに三九六九隻を追い払ったという。

そこで、次に、国家プロジェクトを話したいと思います。中国の国家プロジェクトには三大事業があります。具体的には「新幹線」「高速道路」「飛行場」です。地下鉄は地方政府の仕事なので、ここではのぞきます。

新幹線の営業距離を今の倍にするといっています。現在の営業距離は三万八千キロですが、それを二〇三五年までに七万キロに延ばす計画です。日本の新幹線の営業距離は三千キロですから、それと比較すると二十三倍になります。中国国家鉄路集団有限公司の発展改革部の丁亮《ていりょう》副部長は「（二〇三五年までには）人口二十万人以上の都市が鉄道でカバーされ、五十万人以上の都市に高速鉄道が通り、全国一、二、三時間高速鉄道移動圏が形成される」と、二〇二〇年八月の記者会見で公表しました。

ですが鉄道事業では現在、膨大な赤字が溜まっているのです。既存路線で黒字を確保しているのは「北京－上海路線と北京－広州路線のわずか二路線に限られ、大半は赤字路線」（『それでも習近平が中国経済を崩壊させる』朝香豊著、ワック。九十七頁）です。鉄道の債務総額は五兆二千八百億元（八十三兆円）と公表していますが、北京交通大学経済管理学院の趙堅《ちょうけん》教授は「本当の数字は国家機密になっているとしつつも、地方政府が負担する部分などをすべて合わせると、二〇一八年末で十八・二十九兆元（二百九十兆円）になっていると述べました」（浅香前掲書、九十七頁　以下同じ）。

そして、経済評論家の朝香豊氏によると、鉄道債務総額は「二〇二〇年末の段階では三百五十兆円くらいに達していると思われます」（九十八頁）という。さらに、二〇三五年までに高速鉄道を計画通りに建設すると、債務総額は「九百五十兆円程度、少なく見積もっても九百兆円に増える計算になります」（百二頁）。

石平　高速道路の赤字も雪だるまですよね。

宮崎　そうです。高速道路も雪だるまじゃなくて、くまモンがゴジラになったようなもの。それでも懲りずにまだまだ高速道路を増やす予定です。中央政府が管轄する高速道路の総距離を二〇三五年には十六万キロ（二〇一九年末十万八千六百キロ）まで延ばす計画です。これに地方政府が管轄する道路を含めると二〇一九年末は十五万キロだったものが、二〇三五年には二十万キロの規模となります。クルマ社会の先進国であるアメリカ大国ですら、高速道路の距離は九万八千キロに過ぎません。中国の総距離は世界トップであることに間違いありません。

しかし、高速道路の徴収料は、メンテナンス費用などの経費すら賄えていないのが現状です。今では大赤字経営に陥っており、貴州省の場合、債務返済が収入の六倍にもなっているのです。ちなみに通行料金などの総収入は二〇一九年末時点で五千九百三十八億元（十兆円前後）です。

半面、債務返済やメンテナンス費用といった支出は一兆七百八十八億元（十七兆四百五十億円）もあり、差し引き四千八百五十億元もの赤字となっています。高速道路の債務残高は公式には二〇一九年末、五兆八千四百四億元（約九十六兆円）といわれていますが、実態はもっと酷いはずです。二〇二〇年末には百兆円を突破したのは間違いありません。

北京交通大学の趙堅教授は「交通量が少なく、本来は必要でない地域に高速道路を建設したため、損失が発生している」とし、雪だるま式に借金が膨らんでいる原因が、そこにあることを明らかにしました。

飛行場は中国全土に現在、二百二十か所ありますが、さらに百二十か所作ろうとしている。少なくとも三十は本気で作る。どういうつもりなのか。旅客需要はそれほどないと思うのですが、公共投資をしなければ、中国経済はもたないということですね。

経済原理を無視して「ゾンビ経済」を生きながらえさせる

石平　ということは、普通の経済学の論理でいえば、とっくに中国経済は破綻していることになる。破綻した「ゾンビ経済」を、破綻・死滅していないように見せるために、需要がないのに無理してでもインフラ投資をやるしかないのでしょう。

そこで「需要と供給の経済原理」を完全に無視して、飛行場も次々と建設する。中国では各地方都市、省庁所在地のどこでも飛行場があるのです。日本でいえば、全国の都道府県に必ず一つ、飛行場があるという話です。中国では、地方経済の活性化ために飛行場を作る。旅客機が飛ぶかどうかは、どうでもいいのです。その時点で、雇用が確保され、コンクリート、鉄鋼の需要さえ、生み出すことができればいいわけです。実に刹那的な政策です。

宮崎 深圳にだってすでに飛行場が二か所あるし、実際、週に一便しか飛んでいない飛行場が地方には結構あります。それでも、さらに飛行場を増やそうとしている。常識的な経済論理では考えられない計画です。

石平 そういえば、貴州省には貴陽龍洞堡国際航空が拠点空港としてあるうえに、地級市と少数民族自治州にいくつも飛行場があります。しかし、省都の貴陽市と上海、広州、重慶市を結ぶ高速鉄道があるので、飛行機を利用するよりは、鉄道の方が安くて時間がかからないので便利です。しかも、南北を縦貫、東西を横断する高速道路も完成しており、これらを利用すれば、飛行機を利用する必然性はありません。どう考えても旅客機の利用価値がないのに、それでも飛行場を建設するという。こうした事情はその他の省でも似たり寄ったりです。

矛盾だらけの中共型「計画経済」の成れの果て

宮崎　共産主義の宿命があります。それは「ノルマ」です。政府が「六%成長」という目標・ノルマを掲げると、それに向かって国有工場はひたすら増産します。その製品が売れていようが、売れていまいが、関係ありません。兎に角、生産し続け、売れずに余った製品は巨大在庫となりますが、それでも生産を続けることで「ノルマ」を達成し雇用を確保します。中国では「在庫」もGDPに算入します。

中国鉄道建設局は国有のマンモス企業です。従業員は二十万人以上、その家族を入れると関係者は六十万人にも及びます。さらに下請け、孫請け、もっというと車内で販売する弁当を作る業者、さらに機関車を製造している会社まですべて含めると、鉄道関係者は百万人を超えるでしょう。この人たちを食べさせないといけない。だから、需要がなかろうと、鉄道を作り続けないといけないのです。それを中止すると多くの労働者を失業させてしまうことになる。それは高速道路建設にも同じことがいえます。「計画経済」の一番、悪いところです。

建設したあと、運営して採算がとれるかどうか分からないのに、猪突猛進的に公共インフラを一生懸命に建設する。それが唯一、中国経済拡大の礎になっています。大規模な公共インフラ投資を行わないと新たに生まれる就業者を吸収できない、と中共政権は考えています。大学新卒者と、農民工だけでも毎年、新たに一千百万人もの雇用者が発生します。この人たちに職を与えるために、最低でも六%の経済成長が不可欠と言われています。つい三年前までは、「保八」と言って、GDP成長の八%死守を謳ってましたっけ。

ともかく経済成長率を達成するために、何が何でもコンクリートの建設（高層マンション、高速鉄道、高速道路）が必要となるわけです。

石平　それでも失業者は増えているようですね。

宮崎　武漢発の新型コロナウイルス感染症の影響を受けて、飲食などのサービス産業を中心に大量に解雇されており、街は失業者で溢れてしまっている。

二〇二〇年十二月十八日、北京大学国家発展研究院院長・姚洋《とうよう》は「騰訊網《テンセント》」の取材に応じて、中国国内の失業者はすでに一億人に達していることを暴露《ばくろ》しました。しかし、政府公表の失業率は四%ですが、それは都市部の戸籍を持った人だけを対象にした失業率であって、農民戸籍の人たちは、対象にしていないことが明らかになっています。

一方、中泰証券研究所所長の李迅雷が、クビを切られた農民工（農村から都市部への出稼ぎ労働者）も失業者に加えた場合、失業率は二〇・五％に達すると公表しました。中国の労働者人口は七億人前後ですので、それを前提にすると、失業者は何と一億四千三百五十万人という、途方もない数字になります。失業者だけで、日本の総人口よりも多いことになります。

それを裏付けるような発表がありました。北京大学国家発展研究院のチームが二〇二〇年六月下旬に六千人を対象に調査を行った結果、実際の失業率が一五％にのぼり、時々アルバイト的なことをしていて現在、ほぼ失業中の人が五％いた、というのです。合計すれば約二〇％の人たちが現在、失業しているわけです。これらの発表を勘案すると、失業率二〇％が中国の実態に近い数字と思っていいのではないでしょうか。

今、二・八億人いる農民工を支えている大半の仕事は、インフラ投資建設やマンションなど不動産開発です。この工事には大量の労働者が必要です。

中国経済が、仮に今後もそこそこの高い成長率を保ち、雇用を確保するためにはインフラ投資、不動産投資を積極的にやる以外に道はない。この二つの投資が止まったら、中国経済はおしまいです。

だが、何度もいうように、この二つの投資が同時に飽和状態にあります。高速鉄道、高速道路を建設してもまったく採算は合わない。また、マンション戸数は中国全体の人口を遥かに上回り、買い手のいないのに建設しています。日本語でいえば、「自転車操業」です。ただ走るしかありません。もし止まったら、その時点で中国経済は終わりです。

地獄の谷に一直線の「ボロボロのトラック」操業?

宮崎　「自転車操業」のように緩やかなスピードならまだしも、「バイク操業」というような形で、「バイクでぶっ飛ばしている」ようなものだから怖い。

石平　いや、自転車やバイクというより……。ある経済専門家が中国経済を「ボロボロのトラックだ」と比喩していました。そのボロボロトラックが急な下り坂道を走っているようなものだと思う。ただし、停まってはいけない。しかも、どこが終点か分かりません。とにかく、地獄の谷に向かって一直線に走るしかないのです。そもそもブレーキが壊れているのかも（笑）。

中国経済は窮地に追いやられていても、企業を潰さないように、誤魔化してここまで来ました。それも限界に来て、どうにもならない事態に追い込まれつつあるのです。

宮崎　それは「地獄」だね。都市部にいる農民工でクビになった人は少なくありませんが、運よく職に就けている人も給与は下がっています。北京大学の国家発展研究院は、都市部で働く農民工の新型コロナウイルス後の収入を調べた結果があります。二〇二〇年三月時点で、二〇一九年平均を五八％も下回ったのです。六月は二〇％減ぐらいまで回復したものの、依然として厳しい状況が続いています。しかも、大都市では家賃や食費など生活費の出費が嵩《かさ》んで大変です。農民工の不満は相当、溜まっています。

ただこうした中、前述したように、中国国家統計局が二〇二一年四月十六日に発表した二〇二一年一～三月期のＧＤＰは前年同期比で一八・三％増加したと発表しました。二ケタ台の伸び率を達成したというわけです。最初、この数字を聞いた時には耳を疑いましたが、ここで読者に認識していただきたいのは、この高い増加率は「数字のマジック」だということです。

日本やアメリカ、ヨーロッパ諸国も同様ですが、経済成長率は前期と比べた数字を発表します。が、中国は前年同期比です。ようするに、中国は一年前の実績と比較した数字を発表するわけです。今回は一年前の二〇二〇年一～三月期との比較になりますが、この時期はコロナショックの影響を中国はもろに受け経済は大幅にダウンしました。それとの比較ですので当然、大きなプラスになります。

ですが、西側諸国と同様に前期比で比べると、その増加率は〇・六％増にとどまったものになります。さらに、二〇二〇年十～十二月期の三・二％増から減速していることが分かります。当局が発表している数字さえ、この低水準ですから、実態はもっと悪いのではないかと想像します。

石平　にもかかわらず中国はコロナを克服し、経済は回復したと嘯いている。共産主義者は嘘によらずには生きていけない。しかし、その嘘は最後には破綻するのです。ソ連がそうだった。中国も同じ運命を歩むことになるでしょう。

第三章

中国だけが繁栄する「一帯一路」に世界が反発

「一帯一路」がもたらした「夢」と「罠」

石平　実は、習近平や中国共産党も、前章でわれわれが指摘した点が自国の政治経済の根本的欠陥であるということは十分に理解しているはずです。しかし「バイク操業」だからどうすることもできない。改善などを考えるヒマもない。そこで、その矛盾、国内経済の行き詰まりを、取り急ぎ、先ずは海外市場に転換して帳尻を合わせようとしています。インフラ投資や、鉄道建設、道路建設で使用されるセメント、鉄鋼といった建設資材、さらに労働力も国内で余っているので、それを現在、中国が海外で進めている広域経済圏構想「一帯一路」に転用しようとしたわけです。

そんな下心から「一帯一路」構想への参加国を募ったら初期の段階ではうまくいった。そして各国に高速道路、高速鉄道、港湾施設の建設などインフラ投資を輸出しました。その工事に中国人労働者を派遣して、国内の失業者を救済する。さらに、中国国内で在庫としてだぶついていた建設資材を吐き出すことによって需給改善をもたらすことができる——と目論んだわけです。

しかし、それとは裏腹に、各国はこの「一帯一路」構想の実現で自国の建設会社、労働者が使われると期待していましたが、すべて、中国が奪ってしまったのに唖然としたわけですよ。「一帯一路」への参加が、自国経済にプラスにならないどころか「債務の罠」（中国の融資で国際援助を受けた国が、融資の返済ができなくなり、中国から政策や外交などで圧力を受けたり、融資を受けて建設したインフラの権益を渡したり、軍事的な協力をしたりするケースが発生すること）にも陥りマイナスにすらなることが分かり、各国では不満が渦巻いています。アフリカでは、中国人労働者と現地住民がトラブルになっていると聞きます。

ちなみに「一帯一路」の受注企業は、トップが中国交通建設（ＣＣＣＣ）、第二位が中国核工業集団（ＣＮＮＣ）、第三位が交通建設の子会社である中国路橋工程（ＣＲＢＣ）、第四位が中国建設（ＣＳＣＥＣ）、第五位が中国中鉄（ＣＲＥＣ）とすべて中国企業です。「一帯一路」は中国企業が主役なのです（『Ｗｅｄｇｅ二〇二〇年四月号』参照）。

宮崎　中国核工はチモールの山奥に橋をかけていましたし、中鉄はラオスの山奥で新幹線工事をしてました。現場で見てきました。それはともかくとして「一帯一路」を提唱した習近平はどう思っているのだろう。してやったりと思っているのかな。

石平　いえ、内心後悔しているんじゃないですか。すでにして、この「一帯一路」は、失敗に終わったとみていい。習近平国家主席の二〇二一年の「新年あいさつ」でも、この「一帯一路」については一言も触れませんでした。これまで毎年の新年あいさつでは、必ず「一帯一路」を鼓舞していたのにです。もはや、習近平自身が恥ずかしくて、(「一帯一路」を)忘れたいと思っているのではないかと邪推します。もっとハッキリいえば、この「一帯一路」はなかったことにしたい、ということではないでしょうか。

その証拠に、隔年で開催していた「一帯一路」の首脳会議も見送る方向で調整に入っています(二〇二一年四月二日付、日本経済新聞)。二〇一七年五月と二〇一九年四月には開催され、二〇二一年がどうなるか注目されていました。新型コロナウイルス対応で見送ったというのが表面的な理由ですが、実際は「一帯一路」がいたる所で破綻・蹉跌状態にあるから会議を開きたくても開けないというのが実情です。

アフリカ諸国で「一帯一路」が大問題に発展

宮崎　ようするに、狡猾な中共に対して、アフリカ諸国などが、あまりにも「甘チャン」

でだらしなかったからこうなってしまったのです。中国が進めていた「一帯一路」の「債務の罠」にどう対処するかが大問題になってきています。エチオピアは二〇一八年、鉄道建設で借り入れた対中債務の見直しを求める事態になっているほか、ザンビアは二〇二〇年にデフォルト（債務不履行）を宣言しました。

ケニアでは、首都のナイロビと港湾都市モンバサの四百八十キロを結ぶ鉄道が完成しました。総工費は三十七億ドルで、このうち中国が約九割を融資したのですが、毎月五百六十万ドルの赤字を垂れ流している状態です。

世界銀行によると、二〇一九年時点で二カ国間公的債務に占める中国の比率が高い国は、タジキスタン（八八％）、モルディブ（八〇％）、キルギス（七九％）、ラオス（七七％）、カンボジア（六六％）、パキスタン（六三％）となっており、債務支払い猶予をした国は、中国軍の駐在を受け入れたタジキスタン、中国に空港島と首都をつなぐ海上橋をつくってもらったモルディブで、私が行ったとき橋は完成間際でしたが工事現場は中国語の看板ばかりでした。同様にキルギス、ミャンマー、ネパールなども中国依存度が高い（『Wedge二〇二一年四月号』参照）。

こうした中国から、つなぎ融資を受けているアフリカ諸国、アジア諸国、南米諸国と中国との協定の中に「秘密条項」が付いています。たとえば、二〇一〇年にエクアドルは、十億ドルの融資契約を中国国家開発銀行と交わしましたが、その際に「エクアドルの政府機関が中国に不利益になる行為」をした場合、債務不履行とみなして貸し手が全額返済を求められることにしたといいます。台湾とは国交のないエクアドルでは、駐在事務所の名称が「中華民国駐エクアドル商務処」から「台北駐エクアドル商務処」に二〇一六年に変更されましたが、その背景にはこういった脅しを背景にした中共の圧力があった。

アメリカのウィリアム・アンド・メアリー大学に拠点を置くエイドデータ研究所が報告したところ、「一帯一路」は投融資をセットに二〇一五年以降は、すべて「守秘義務条項」が付いていたことを明らかにしています。そして、先ほどのザンビアの件では中国向け返済を優先した疑いがあるため、ザンビア国債の保有者が利払いの減免を拒否しています。

また、日本の麻生太郎副総理兼財務大臣が二〇二一年四月七日に開催されたG20の財務相・中央銀行総裁会議で、新型コロナウイルス感染症の影響で財務状況が悪化した途上国の包括的な支援について議論することを記者会見で明らかにしましたよね。そこで、「包括的な支援を行っていくが、支援した資金がその国のコロナ対策や経済支援に使用されるのか、特定の国への返済に回されたら意味がない」と述べ、支援した資金が中国の債務返済に充てられることがないように、使い道を精査する必要があると指摘した。同様のことを欧米諸国も主張していますが、「一帯一路」を中国は自国を支える手段としてのみ、恣意的に使っているのは明らかです。

石平　なるほど。「一帯一路」の現状は厳しいようですね。

中国が北極海と北海道を狙う理由とは

宮崎　実は、「一帯一路」構想絡みの建設がいたる所で滞りはじめています。インドネシアで首都ジャカルタと西ジャワ州の主要都市バンドン間の百四十キロを約三十五分で結ぶ高速鉄道を建設中ですが、完成が遅れています。二〇一六年中に土地取得を終わる予定だったのですが、未だに終わっていません。また、イギリスのフィナンシャル・タイムズ（FT）の報道によりますと、「中国がバングラデシュでの炭鉱と石炭火力発電所事業に投資しない意向を同国に伝えた」（二〇二一年三月十一日付）。このFT紙によると、「中国側は、もはや炭鉱や石炭火力発電所など大気汚染を招く事業への投資は検討しない」のが、理由らしいのです。

バングラデシュは「一帯一路」構想の要となる国家です。二〇一六年に同国へ中国首脳としては約三十年ぶりに習近平が訪れ、首都ダッカでハシナ首相と二十七項目の合意事項や覚書に署名をしたのでした。ところが、このうち五項目の事業総額三十六億ドル（約三千八百億円）分の計画を、中国側は一方的に見直して投資中止を決定したのです。

しかし、大気汚染対策上、バングラデシュでの石炭火力発電所建設中止というのは表向きの理由です。なぜなら、中国国内では電力不足解消を理由に目下、石炭火力発電の新設工事が相次いでいるからです。二〇二〇年、石炭火力の発電能力は、原子力発電所に換算すると三十基分増えた。大気汚染が中止の理由なら、なぜ、中国国内で石炭火力発電を積極的に増設しているのか、辻褄が合いません。

石平　中止の本当の理由は「中国の外貨不足」にあると考えられますね。

宮崎　そうです。ところで、これは余談ですが、「一帯一路」が中国にとって思わぬ恩恵を齎すことがありました。ご承知の通り、二〇二一年三月にエジプトのスエズ運河で大型コンテナ船「エバー・ギブン」号が座礁して、世界中が大騒ぎになった。結局、六日間かけて離礁に成功したのですが、この間、四百隻以上が足止めさせられてしまいました。これによって専門家たちは、世界貿易に大きな影響が出ると懸念したのですが、そうした中、涼しい顔をしていたのが中国でした。なぜなら、スエズを通らなくて済む代替ルートを「一帯一路」のお蔭で持っていたからです。鉄道を使ってユーラシア大陸を縦断して物資を輸送することができました。

もうひとつ、中国が狙っている海上ルートがあります。それは北極海ルートです。地球温暖化で北極海を船舶が通れるようになってきました。ロシア（プーチン政権）は当初、北極海における中国船舶の動きに警戒していたのですが、中国と共同運行した方が両国にとって得策と判断したようです。最近では中国砕氷船が、北極海ルートを通過してもロシアは黙って見ています。

北極海はこれまでロシアの独壇場でしたが、今や中国がわがもの顔で活動しています。現在は、ルート開発の段階ですが、もう三〜四年すれば、商業ベースに乗る。そうすると、スエズ運河を通らなくてもロシアや北ヨーロッパへは、北極海ルートを使った方が、採算が合います。

さらにカナダから北海を抜ける海上ルートにも中国は目を付けています。すでに、カナダの北方から砕氷船を通したことがあって、それに関連して狙われているのがアイスランド、グリーンランドの海上ルートです。近い将来、それらの国々で大問題になると思います。

ここで、ハッと分かったことがあります。これらの北極海での動きが、中国による日本の土地買収につながっている可能性があるということです。北海道で中国が土地を買い占めているのは広く知られています。北極海ルートに沿って、下北半島海峡からオホーツクへ、苫小牧から釧路、根室にかけて土地を買っているのです。逆に北極海ルートに不要な札幌を除き、それ以北の土地はほとんど買収していない。ひょっとしたら北海道の土地買収は中国の遠大で、かつ長期的な国家戦略かもしれない、という気がするのです。

三つの呪文を唱えて、習近平をATM扱いする強《したた》かなアフリカ諸国？

石平　先ほど、「秘密条項」の話が出ていましたが、これに関して逆の意味があります。実は、アジアやアフリカなど発展途上国は習近平のツボが分かっているのではないかと考えられます。だから、逆に習近平から無闇に多額の借金をするわけです。借金が返せなくなり、中国から返せといわれたら必ず、三つの呪文を唱えることにしているのではないかと？

先ず、「ひとつの中国」の政策を支持しますと唱える。台湾は中国の一部だというわけです。もう一つは「中国の新疆ウイグル自治区の政策を支持する」と唱える。この二つを唱えれば、習近平は借金を「チャラ」にしてくれますよ（笑）。少なくも先のばしを容認するのでは？

宮崎　あともう一つの呪文は、「北京五輪をボイコットしない」ということですかね（笑）。でも冬季五輪だから、アフリカ諸国で参加する種目は殆どないのですが。

石平　そうそう。習近平という「ATM（現金支払機）からおカネを引き下ろすには、台湾と新疆ウイグルと、最後に北京オリンピックという三つの暗証番号（呪文）を押したらいいのです。習近平はいくらでも借金を「チャラ」にしてくれます。となれば、借金は、し放題です。「チャラ」にしてくれなければ、台湾の独立賛成、北京冬季オリンピックをボイコットするぞ。新疆ウイグルの人権を問題にするぞ、ジェノサイドだと騒ぐぞ、といえばいいだけのことです。この三つを習近平は一番、怖れています。

だから、習近平政権は落ち着いて「一帯一路」を育成するムードではないのです。しかも最近、別の国からの借金を、中国が肩代わりするケースが出る始末です。

その典型的な例が、カンボジアです。同国が他国から十五億ドル借金して、それを中国王毅外相がカンボジアに訪問した際、カンボジアに代わって返済することを約束したのです。その代わりに、カンボジアは先頭に立って二〇二〇年、国連の人権問題を扱う第三委員会で、二十六カ国集めて、中国の人権問題を「問題なし」だと擁護したわけです。中国としては、カンボジアはすごい役割を果たしてくれた。これによって他国の肩代わりだけではなく、中国からの借金も「チャラ」にしたのです。「戦狼外交」「暴走外交」から「札束外交」への転換ですな（笑）。

宮崎　行けば分かりますが、カンボジアは中国の「植民地」ですよ。カンボジアのシアヌークビル周辺に中国は五十軒ほどカジノのビルを建てた。それに絡んで約四十万人の中国人がカンボジアに移住してきて、その中に「重慶マフィア」と呼ばれる闇組織の人間も多数やってきたのです。それによって、シアヌークビル周辺の治安が滅茶苦茶になった。しかし、コロナウイルス感染が蔓延して、残りのカジノやタワマンの建設がストップした。二十軒ほどのカジノビルの建設は半分終わったところで今は放置されたまま。再開の見通しは立っていません。このため、マフィアたちは中国本土に引き上げてしまったのです。

しかし、アメリカの支援で建設された南西部の海軍基地の施設をカンボジアは取り壊し、その跡地に中国軍が軍事利用できるように便宜を図っているという話があります。同国のフン・セン首相は「事前に許可を取得すれば、どの国の船でも停泊することができる」と発言してアメリカの批判をかわしています。

フン・セン首相はカネに汚い男で、統治方法は中国の真似をしてマスコミの九九%を抑えている。そして現在、プノンペンではカジノではなく四十階建てのマンションが多数、建ち始めています。そのビルの看板はほとんど中国語です。日本も大きなショッピングセンター「イオンモール」を建設しましたが、目立たない。

「一帯一路」と共に沈む中国経済

石平　話を戻しますが、「一帯一路」が下火になって、近いうちに完全に終息する可能性が高いと私は見ています。失敗に向かうと中国政府の企図は頓挫します。「一帯一路」により中国国内で余った建築資材などをさばくことが出来なくなるし、仕事も確保できなくなってしまう。内も外もこれでは、これから、中国経済は沈むしかない。

宮崎 「一帯一路」は半分、「死んだ」と考えていい。が、言い出しっぺの習近平としてはメンツは潰したくない。「一帯一路」の目玉プロジェクトのひとつ、ジブチとエチオピア間に延長七百キロの高速鉄道が完成しました。しかし、月間収入は一千万円、しかしメンテナンスに七千万円かかる。だから大赤字です。そんな鉄道運営から中国は手を引きたいのですが、メンツがある。

バングラデシュの話は先ほどしましたが、もっと揉めているのがパキスタンです。これからも、さらに揉め続けるでしょう。何しろ、「一帯一路」に関連して六百二十億ドルも中国はパキスタンに貸し付けています。そのパキスタンでは、第二次世界大戦後、何回もデフォルト（債務不履行）をしているのです。その度にＩＭＦ（国際通貨基金）に救済を求めている。

だけど、「一帯一路」で中国と共同で建設しようとしているのは「パキスタン中国経済回廊」構想で、ＩＭＦは関与しないと宣言しています。これは、中国とパキスタンの両国間の問題という立場です。

「パキスタン中国経済回廊」は、「鉄道」「高速道路」「飛行場」に「石油」＆「ガス」のパイプライン建設といった五つの建設プロジェクトをセットにしたもので、それぞれで建設が進行し、石油とガスのパイプラインはすでに完成。鉄道もほとんど完成しましたが、開通していません。その一番の理由は、鉄道レールを敷《し》くと、そのレールをゲリラが盗んでいくからです。また、ガスも途中で抜き取られてしまう有様で、中国は散々な目に遭っています。ゲリラはイスラム過激派であり、危険地帯がバロチスタン州、シンド州などに広がっています。

そしてグアダール港のホテルにいた中国人ビジネスマンらがイスラム過激派に殺害されたように、駐在中国人ビジネスマンが度々、テロの襲撃に遭っています。四月にはクエッタのホテルで自爆テロが発生しました。中国大使が滞在中のホテルで、大使はたまたま不在でしたが、この情報をテロリストは軍情報部から入手しているらしい。ともかく、治安が悪く、今は、パキスタン軍が中国人を守っています。アフガニスタンも似ているようなところがあって、アフガニスタンで銅鉱山開発をしている中国人を、アフガニスタン軍一万五千人がゲリラの襲撃に備えています。その兵隊に払う給与の半分を間接的に日本は出しています。日本のお人好し外交の典型です。このように、「一帯一路」は問題をたくさん抱えています。

石平　旧ユーゴスラビアの小国モンテネグロが、中国の債務肩代わりをEU（欧州連合）に要請しましたね。中国から約十億ドル（約一千百億円）の融資を受けて、南部の港町バールと隣国セルビアを横断する全長百六十五キロの高速道路を建設中です。融資利率は二％、返済期間は二十年で年内から返済を始めることになっています。返済できなければ、中国に土地や財産が取得されてしまう契約内容です。しかし、人口六十二万人のモンテネグロの経済規模ではなかなか返済が出来ず、困っています。中国の「債務の罠」にはまるかどうかの瀬戸際にあるようです。

宮崎　モンテネグロの高速道路も金銭スキャンダルがあって、三年前からEU諸国が騒いでいた案件です。

ファーウェイの「脱スマホ」戦略が「養豚」進出とは？

石平　次に、中国経済を見るうえで、見落としてはいけない動向があります。それは何か。世界的に勢いのあった中国大企業の凋落が始まっていることです。ひとつがファーウェイです。具体的な数字を見ると二〇二〇年、ファーウェイのスマホの出荷台数が二〇一九年と比較して二一％減となりました。同社のスマホの世界シェアはかつて第二位だったものが、二〇二〇年は第三位に後退。しかも、二〇二〇年の落ち方を詳しく見ると、十〜十二月が前年同期比で四二％も落ちたのです。二〇二〇年第四・四半期におけるファーウェイのスマホ世界シェアは第五位に急落しました。背後に何があるかというと、やはり、アメリカの制裁措置です。スマホを製造するためには半導体チップが必要です。それが制裁により自由に使えなくなった。

もう一つは、これも制裁の影響ですが、いろいろなソフトが使えなくなったことも大きい。ファーウェイのスマホでグーグルや、アップルのソフトが機能しなくなってしまったのです。そうすると、ユーザーはファーウェイのスマホを敬遠します。

宮崎　ファーウェイは生き残りのために、どういう戦略を練っているのかな。

石平　それに関して最近、面白い話があります。ファーウェイ首脳部は今年に入って、社内に「緊急事態宣言」を出し、首脳陣たちは生き残り戦略を思案しています。これまでは、どのように世界制覇していくかが経営の最大テーマでしたが、今は、どうやって生き残るかに焦点を当てています。そこで具体的に、生き残るための戦略として多角化経営を打ち出したのです。儲かると思えば何でも手を出す。それは、中国では、よくある話で多角化経営はどこの企業でも実行します。

しかし、ファーウェイの多角化経営は本当にビックリさせられました。半分、冗談話なのかと疑いたくなるような内容だったのです。IT業界で世界を制覇する勢いのあった大企業ファーウェイですから、多角化経営でも、それに相応しいことをやるのかと思っていた。それがまったく違っていたのです。何と、養豚事業を多角化経営の柱にしたのです。IT企業で世界中を席巻したことのある超ハイテク企業が豚を飼う？　IT技術を使った養豚業を手掛けるといいますが、あまりにも落差があり想像できません。

宮崎　もともとファーウェイの創業者社長は、養豚を経験したことがある人ではなかったかな。

石平　そういう経歴があってのことでしょう。中国の軍隊も、養豚でも、密輸でも儲かると思えば何でもやるから（笑）。もうひとつの面白い話があって、五粮液の「汾酒」（中国で有名なお酒）の製造販売にもファーウェイが乗り出したのです。「汾酒」というのは日本でいえば、「月桂冠」のようなお酒。ファーウェイの科学技術と連携するとのことですが……。そのお酒を習近平に飲ませればいいと思う（笑）。

宮崎　日本でも売れている「五粮液」（中国のウォッカ）の産地は山西省あたりだけど、

「汾酒」の産地はどこ?

石平　四川省です。これから「スマホのファーウェイ」ではなく、「豚肉のファーウェイ」とか、「お酒のファーウェイ」になる。ここまで落ちぶれた。それは、やはりアメリカの半導体制裁が原因ですね。トランプ前大統領のおかげですよ。

中国の半導体メーカーは「三無主義」

宮崎　そうですね。中国は世界半導体の六割を消費しているにもかかわらず、国内での生産は一五%に過ぎません。しかも、中国で製造している半導体の技術レベルは五年遅れているからね。それに関してだけど、アメリカのインテルが次世代技術で台湾の半導体メーカーに負けています。

石平　台湾のTSMCにかなわない。

宮崎　台湾のTSMCが目下、世界シェアは第一位、韓国のサムスンが今、第三位に転落。世界的に半導体が不足していることもあって、ファーウェイの落ち目に拍車がかかった。トランプの半導体輸出禁止が一年後に効き始めたということでしょう。しかもあの親中派のエチオピアですら、5Gの通信インフラ網の入札で、ファーウェイを排斥しました。

石平 しかも、中国国内で半導体集積回路を製造しようとしても、核心的技術はアメリカ企業がほとんど握っている。ファーウェイのCEOの任正非も認めているけど、ファーウェイで一番、困難なことといえば、国内工場で最先端の半導体チップが作れないことです。その理由はどこにあるのか。

彼曰く、「基礎研究、基礎教育が徹底的に中国は立ち遅れていることにある」と。任氏は、己の弱点はよく認識できてはいる。基礎研究や基礎教育は一年、二年で出来上がるようなものではないですからね。

中国は、これまで外国企業から技術を盗み、あるいは買収して、それを利用して得してきただけだと。だから、自らの技術では何も作れない。一旦、アメリカなどが、技術の盗用を許さなくしたら、直ちに、干上がってしまい事業が立ち往生してしまう。ようするに、中心的な技術を止められてしまうと、「スマホのファーウェイ」から、いきなり「養豚のファーウェイ」になってしまう。

アメリカの調査会社ICインサイツによると、中国半導体の自給率は二〇一九年では一五・七％でしたが、二〇二四年二〇・七％にアップすると予測しています。だが、中国国内での半導体産業参入事業はほとんど失敗に終わっています。中国で製造される集積回路（ＩＣ）は、六割が外資系企業で、核心部分はアメリカ企業が握っています。

宮崎　その危機を二〇一四年ぐらいから、中国政府は分かっていた。だから高度な半導体の自国生産を巨額な基金・補助金を使って育成しようとしました。が、一回目は完全に失敗したのです。中国の産業界は上と下のアンバランスが問題で、政府が開発するぞ、といったら、補助金を目当てにどんな企業でも参加してしまうのです。それこそ、養豚をやっていた会社までが半導体をやるといい出す始末です。補助金欲しさに群がった会社は二千四百社にものぼった。

石平　それで、中国の政府高官が、興味深いことを言った。半導体を作ると手を挙げた会社二百社を調べてみたら、すべてが「三無企業」だったというのです。三つなし。つまり「経験無し」、「技術無し」、「人材無し」という意味です。それに付け加えて半導体を製造する経験も無かった。この三つ、あるいは四つが無い「四無企業」がどうやって半導体を作るのか。もう笑い話です。

宮崎　太陽光パネル、風力発電も同じでしたね。風力発電のメーカーは当初七十社あったが、このうち六十五社が倒産しました。太陽光パネルの会社は倒産せずに、まだ保っているといわれていますが、いずれも青色吐息です。倒産は目前です。太陽光の天敵は、砂嵐、黄砂です。天津と北京で黄砂は地上に五センチも降り積もった。すると、太陽光パネルの上にも黄砂が降り注ぎ発電不可能となってしまう始末。しかも、パネルが砂で傷つきメンテナンスは本当に大変なようです。だけど、中国政府は太陽光パネルの生産に補助金を出し続けています。半導体開発にも懲りずに補助金を出し続けている。前に述べましたが、赤字の高速鉄道、高速道路も作り続けます。全体主義国家でないと、こんな経済法則を無視したマネはできないですね。

習近平によるアリババのジャック・マーいじめが止まらない

石平　もう一つ、中国のネット通販最大手アリババは中国政府によっていじめられて、経営危機に追い込まれています。アリババの躓きのはじまりは、二〇二〇年十一月二日、創業者ジャック・マー（馬雲）が、金融当局に呼び出され管理指導を受けたことでした。中国では、大企業や民間企業のトップが当局に呼ばれるというのは、大変なことが始まるシグナルです。つまり、その企業が当局の標的にされたことを意味します。

そして十一月三日、アリババ傘下のアントグループが上海、香港の二つの証券取引所でIPO（新規株公開）する予定でしたが、当局から突然、中止を命令された。史上最大規模の資金調達（両市場から約三百四十五億ドル、日本円で三兆六千億円）を計画していたのに、公開は頓挫してしまった。それ以外にも、十一月十日、国家市場監督管理総局が「プラットフォームビジネスに関する反独占指針案」を発表し、アリババなどの大手企業によるプラットフォームビジネスの独占を規制する方針を打ち出しました。

さらに、十二月二十四日には同じ総局が「告発を受けて、アリババの独占疑惑に対し立件・調査を行う」と発表しました。アリババの解体作戦は習近平の既定方針になっていて、アリババは消えていく運命にあります。

宮崎　当局の狙いはたくさんありますよね。つまり、アリババ傘下のアントグループというのは、いってみれば庶民銀行です。十億人の中国人がアントの口座を持っている。そうすると、中国の国有銀行の存在理由がなくなってしまう。借りる金利はアントの方が低い。二番目に、中国政府はデジタル人民元を普及させようとしています。アリババと、アントはデジタル金融会社みたいなものですから、普及の障害になる。

だから、早いうちにアントの勢いを抑え、縮小させないといけないと考えたに違いありません。それともう一つ、隠れた理由がある。実はＩＰＯ（株式公開）で、三兆六千億円もの巨大資金を集めようとしていた。これで株主はものすごく、儲かることになっていた。予約金を払って株を手に入れようとしていた名簿を金融当局が調べたら、ほとんどが江沢民派の人間だった。そこで、習近平はライバルの江沢民派を潰そうとした。これが最後の理由ですが一番、大きい。

石平　宮崎さんが今言われた理由が重大です。アントは平たくいうと消費者金融会社です。アントグループの「アリペイ」オンライン決済は、中国国内だけで約十億人が加盟しています。もう一つ、消費者金融は中国国内で五億人が利用している。その融資残高は日本円で、二十六・六兆円にもおよぶ。アントは完全に中国で金融帝国を築きました。融資を受けている五億人の若者にしてみれば、習近平より、ジャック・マーの方が偉いということになります。

宮崎　簡単におカネが借りられるし、銀行より金利は安いからね。サラ金でもない。

民間企業の創業者が突然、消える

石平　政治的な理由として、習近平率いる今の共産党はそんな存在、会社は許さない。若者たちは共産党を蔑ろにして、ジャック・マーに傾注し、ジャック・マーからおカネを借りて、ジャック・マーのネットで、おカネを使う……。しかも「独身の日」という大イベントで国民は商品を買う。だから、さっきの話、三百一万店舗が潰れるのです。若者たちはネットでモノを買い、商店で買い物をしなくなってしまった。失業者が街に溢れ、それを政府が引き受ける。得するのはジャック・マーだけ。それでは潰されるに決まっています。

宮崎　ジャック・マーの身長は百五十センチぐらいらしい。しかし中国では背の低い人が世の中を動かす。劉邦（前漢の初代皇帝）、胡耀邦、鄧小平がそうでした。そのジャック・マー氏は新年（二〇二一年）のあいさつでちょっと顔を見せた後、公に姿を見せていませんね。

石平　アリババと似たような話はほかにもあります。エネルギー会社の中国華信能源の創業者である葉簡明《ようかんめい》氏が、二〇一八年に理由が分からず拘束されてしまい、今でも行方不明のままです。さらに、大農場を経営していた河北大午農牧集団の創業者・孫大午《そんだいご》氏が家族や幹部たちも一緒に連行されてしまった。容疑は不明です。さらに金融会社の明天集団を創建した肖建華《しょうけんか》氏が公安警察に香港で身柄を突然、拘束されて本土に連行されてしまったらしい。

さらに、江蘇省南京市に本社を置く大型民営企業・福中集団の創始者である楊宗義《ようそうぎ》氏が「不法な資金集め」の容疑で警察に連行されてしまった。このように民間大企業の経営者が相次いで、忽然と姿を消してしまうのです。これでは、安心して民間企業は事業を拡大することができません。中国で商売をしていくうえで、共産党の意向に反したら大変です。

宮崎　習近平は民間企業も共産党思想で統制したいと思っていますね。

彼は、二〇二〇九月に、民間企業向けの新指針を出し、社内に共産党委員会を設け、人事その他の重要案件については同委員会の承認を得るように求めました。その新指針は、企業人は中国共産党と「政治的、思想的、感情的に一心同体」となるよう教育されなければならないなんて言ってますよ。従って民間部門への介入や馬氏のような著名なビジネスマンへの見せしめは今後、その頻度と激しさを増していくと見られています。

H&M商品があっという間に売れる――「ジェノサイド」と中国経済

石平　経済関係であと、二つ問題提起したいことがあります。最近の話で、新疆ウイグル自治区のジェノサイド（民族大量虐殺）と関係してきますが、「新疆綿」に対する風当たりがすごいことになっています。衣料、スポーツ用品会社のＨ＆Ｍやナイキ、アディダスが、強制労働で収益を稼いでいる「新疆綿」を使わないと宣言し、アマゾンも新疆綿の使われている商品の取り扱いを止めると中国側メディアが報じました。これは、かなり国際的な反響を呼びましたが、中国国内でも大きな反発が起こっています。

まず、Ｈ＆Ｍ、ナイキの不買運動が中国国内で起きたのです。どういうことか。「新疆綿を使わないなら、お前たちの商品は買わない」というわけです。「中国製の綿を使わないお前たちが、中国で製品を売って儲けることは許さない」というのが、その根拠です。しかし、「三日坊主」のようなもの。不買運動はすぐにダメになってしまう。中国人は不買運動に向いていません。

宮崎　アリババ傘下のサイト「陶宝」（タオバオ）からH&M、ナイキなどが商品リストから消えました。こうした中、「陶宝」のライバル・サイト「京東」（ジンドン）がH&Mなどの商品を三割引きセールで販売したところ消費者が殺到して、あっという間に売り切ってしまった。このあたり、いかにも中国人らしいなぁ。

石平　中国の消費者はネット上で威勢のいいことをいうけど、しかし実際の消費行動になると、安くていいものは、そんなことには関係なく購入します。

宮崎　ネットで騒いでいるだけ。そもそも「五毛党《ごもうとう》」（五毛幇《ごもうばん》ともいう）のような中共傘下の「投書集団」が、中共に都合のよいような「ネット世論」を作ろうとして作為的に動いているからこそ長続きしないのでしょう。

松下幸之助が泣いている？

石平　ただし、新疆綿を使わないことが世界中で定着すると、おそらく、中国経済は大変な打撃を受ける。というのは、中国国産綿の八〇％を新疆綿が占めているから。中国国内で作る紡績は、綿を何十パーセント使う場合でも、おそらく新疆綿が使われる確率が非常に高い。そうなると、「メイドイン・チャイナ」の服装品を世界中、買わなくなってしまう。

そこが、中国経済にとって大変な問題になるのです。中国の紡績、服装製品の輸出額は二〇二〇年、二千九百十二億ドルと中国の対外輸出全体の一割以上占める最大の輸出産業です。しかも労働集約型の産業であり、雇用者数が多い。直接、作っている企業と、その関連企業など含めて一・七億人が雇用されているのです。ですから、世界的な新疆綿不使用が中国最大の輸出産業に致命的な打撃を与えかねない。大量な失業者を生み出す要因にもなる公算が大きい。

宮崎　H&Mは、ヨーロッパにおけるアパレル会社。だけどアメリカを巻き込んでの、制裁となるとアメリカ企業も大変になる。ですから、アメリカとしてはこの問題を、ウヤムヤにしたい筈です。実際、新疆綿を使用した商品であっても、「これは違います。トルコの綿です」と言い訳をするのではないかな。産地の誤魔化しをやるでしょう。

綿花の問題で、世界の繊維産業を考えてみたら、よく理解できると思う。世界の繊維製品はポリエステル繊維がシェアのトップ、二番目が綿。三番目がレーヨン、そして四番目は「麻」となります。麻は価格が高いから、なかなか普及しませんね。綿の次にレーヨンが環境問題になる。なぜかというと、レーヨンの八五%は中国製なのです。これは木のパルプから作られます。環境保護団体が厄介な存在で、今度は森林資源を守れと言い出す可能性が高い。しかも、海外で森林を伐採する人々は安い労働賃金で過酷な労働を強いられているという話もあります。環境問題から人権問題に発展しかねない。

この衝撃を受けるのはアパレル産業でしょうね。われわれは綿やレーヨンの服が着られなくなってしまうかも知れない。本音では欧米はレーヨンまで問題にしたくないと思います。いずれにしても、今のうちに綿やレーヨンの衣料品を買っておいた方がいい(笑)。ポリエテルのシャツを着たら、汗はかくし、汗を吸い取ってくれない。着心地は決して良くない。新疆綿問題は大事、強制労働問題追及も大事。しかし、何とか、誤魔化して着地点を見つけたいのが彼らのホンネでしょう。

日頃ズバズバと偉そうなことを言っているユニクロの柳井正会長兼社長も、この新疆綿問題では「政治的には中立でいたい。ノーコメント」と口を閉ざしている。ほかにも中国各地でウイグル人の強制労働を下請けのサプライチェーンなどで使っている主要企業として日本企業十二社がやり玉に挙げられました、その中でパナソニックだけがウイグル協会などの追及に対して沈黙しています。松下幸之助も草葉の陰で泣いていることでしょう。

四年間で三百二十万人も減少

石平　今後の中国を占ううえで、非常に重要なことがもう一つあります。人口減の衝撃です。毎年、出生数が激減していることです。

中国は「一人っ子政策」により出生を極端に制限してきた歴史があります。しかし、この政策が原因で、人口の高齢化が急速に進展し人口比率が悪くなってきました。長期的に見て「一人っ子政策」は弊害があるとして、二〇一五年に中止しました。それ以降は二人目を産んでよい、という話となって、出生数は増加傾向をたどると思われたのですが、結果はその逆でした。

ただ、一人っ子政策廃止の効果で二〇一六年は結構、出生数が増え一千七百八十六万人となりました。しかし、翌年の二〇一七年は一千七百二十五万人に減ったのです。そして問題は二〇一八年の数字です。いきなり一千五百二十三万人となって、前年比で二百万人以上も減少してしまいました。そして、二〇一九年は一千四百六十五万人になり、二〇一六年から二〇一九年のわずか四年間で出産数が三百二十万人も減少しました。

さらに、二〇二〇年はどうなったか。二〇二一年五月十一日に中国統計局が発表した数字によりますと、二〇二〇年の出産数は千二百万人であって、二〇一九年よりは二百六十五万人も減ったわけです。

宮崎　減り方は激しいですね。

石平　それにしても、年間出産数千二百万人は、中国人にとってあまりにも衝撃的な数字です。前年比約一八％の激減となります。

中国の一部のメディアは「出生数の断崖絶壁式の暴落！」だと絶叫したほどです。

もちろん、二〇二〇年はコロナ禍でありましたから、この年の新生児の出生数に影響したと想像できます。コロナ禍で不安が高まり、若い人々は出産に慎重になったと見られます。しかし、それにしても二〇二〇年の中国の出産数の落ち込みは尋常ではありません。

たとえば、台湾の場合、台湾内政部（内務省）の発表では二〇二〇年における台湾の出生数は前年比七％減の十六万五千人に急落したと発表しました。「急落」といっても、その落ち幅はせいぜい七％、中国の比較になりません。

コロナ被害が最もひどかったイタリアでも、統計局が二〇二〇年十一月に出したレポートによると、二〇一九年に四十二万件の出生届で過去最低となり、さらに二〇二〇年は四十万八千人になったと発表しました。つまり、コロナ禍の影響があっても、その下落幅は三％未満、中国の六分の一程度です。

宮崎　これは二〇二〇年一月と二〇二一年一月の比較で、二〇二一年四月十日付の日本経済新聞に依れば、フランスの出生数は五万九千人から五万一千二百人（前年同月比一三％減）、スウェーデンは九千六百七十七人から九千五十五人（同六％減）、日本は七万四千六百七十二人から六万三千七百四十二人（同一四％減）と減少していますが、いずれも中国ほどではありません。ちなみに、アメリカは二〇二一年、〇・二％増加しています。そのアメリカで増加率が約百年振りの低水準になったと騒いでいますが、中国との違いを際立たせています

石平　日本の二〇二〇年、出生数に関する正確な統計は現時点で出ていませんが、日本総研が二〇二〇年十二月一日に出したレポートによると、「二〇二〇年の出生数（日本総研推計）は、当社推計に基づく予測では、前年比マイナス一・九％の八十・七万人となる見通し」と書いています。日本総研の実力からすれば、この予測は大きく外れることはま

ずないでしょう。

いずれにしても、中国の出生数減少は、コロナ禍の影響を受けた二〇二〇年だけの話ではないことが大きな問題です。

この傾向はこれからも続き、出生数一千万人を割り込むのは時間の問題でしょう。というのは最近の若者は結婚をしないからです。結婚しない理由の第一が、高すぎる結婚費用です。中国の新華社通信が二〇二一年二月に、「一部の農村では嫁取りに百万元も必要」とする記事を配信して注目を集めました。百万元といえば、約一千六百万円です。その内訳を記事で披露しています。まず、女性の実家に莫大な「彩礼（結納金）」を贈ります。そして持ち家と自家用車を準備しなければならないので、百万元を超えてしまうというのです。もちろん、頑張って貯金しても「百万元」に手が届かない家庭もたくさんあります。すると、多くの農村青年は結婚しようとしてもできません。新華社通信の記事で、農村部では結婚できない「剰男」たちが溢れていると伝えています。

共産主義が絶対という人生観は廃れ、社会的な価値観も変わった

宮崎　なぜ、中国ではそんなに結婚資金が高いの？

石平　その背景に、この数十年間、中国社会で極端な拝金主義が蔓延していることがあります。

加えて、長年にわたって続いている男女の人口比率の歪《ゆが》みも見逃せません。中国国家統計局が刊行した『中国統計年鑑二〇二〇』によると、二〇一九年末時点で全国二十五歳～二十九歳までの人口の男女比は、女子が百人とすれば、男子が百六・六五人。二十歳～二十四歳までは同じく百人に対し百十四・六一人。国際的な水準と比較しても男女比率が大きく偏っており、男子の人数が多いのです。

これは、「一人っ子政策」の時代に、農村では男欲しさに女子の妊娠が分かると堕胎したことがよくあったためです。「一人っ子政策」が廃止されても、この状況は変わっていないようです。公安部が二月八日に公表した二〇二〇年の新生児のうち、男児が五百二十九万に対して女児は四百七十四万五千人、旧態依然のアンバランスが続いています。こうしたことから、結婚できない男子が中国では増加し続けるのです。すると、出生数も増えることはありません。

子どもを産まなくなった中国は、長期的に展望すると、経済だけではなく国力や軍事戦略など、いろいろな意味で弱体化を招くという、大きな変化が起こります。

宮崎　二〇二一年の大学の新卒が九百九万人で新生児が一千万人程度なら、すごいことになります。つまり、大学卒業生もおそらく、今年がピークとなり、これから大学経営は困難となるでしょう。大学の数はきっと減ってきます。

ただ、日本の大学進学者の減り方も異常ですね。八十五万人ぐらいしか新生児が生まれていないのに、大学が増えてしまった。今年の早稲田大学の受験者数がついに十万人を割ってしまった。多い時には二十万人を突破していましたからね。中国も大学を作り過ぎました。聞いたことがないような大学がたくさんある。日本も同じだけど。

まして二〇二一年の新生児は八〇〇万人を下回ることが確実です。一方で早稲田大学だけで中国人留学生は二五〇〇人もいます。このアンバランスは問題ですよ。

石平　この傾向が五年、六年も続いたら、二十年後の中国の風景は全然、違ってくると思います。

宮崎　子どもを産む家庭だと、普通平均すれば二人は産んでいます。それは日本でも同じです。その一方で、結婚せずに、たとえ結婚しても子どもを産まない家庭がある。その基本的な違いはどこにあるか。人生観が違ってきたのだと思う。一つはコストの問題意識がある。子どもを産んで、大学へ入学させて卒業するまで、どれだけおカネがかかるのか。加えて医療費がかかるわけでしょう。

さらに、住宅ローンに追われた生活をしていると、未来の人生設計が描けない。そのことを中国の若者はよく知っています。緻密に経済コストを計算するところがある。こうして、結婚しても、子どもを作るという発想がだんだんとなくなっていったのです。石さんが指摘されたように、とりわけ、中国では急激な経済発展で中国人の金銭感覚が随分、変化した。極端な話、「カネがすべて」という人生観が前面に出てきたように思う。

二番目に、若い世代は中国という国家に対して否定的、もしくは消極的な世界観になってきたことが挙げられます。中国の国家教育は上からの押し付けで、ほんどの若者は信用していません。その背景にはネットやテレビの発達があります。中国国内の当局による「報道管制」の効果は薄れています。簡単に海外と通信がつながるからで、共産党の報道に懐疑的です。もっといえば、外国の価値観が分かって来たのです。

もう一つ、海外へ行っていた留学生が、ドンドン帰国しています。中国から世界の大学、研究機関に飛び出した中国人は数十万人、海外へ移住した中国人は一千万人程度かと思ったら、そうではなく三千万人もいたことが最近、分かりました。そうすると情報を北京政府が抑え込もうとしても、多くの国民に真実が分かってしまった。だから共産党に対する忠誠心が若者の間で、消滅の方向にあるのは確かです。共産主義が絶対という人生観は廃《すた》れはじめ、社会的な価値観も変わってきたのです。要は、多くの若者は自国、中国にあまり希望を持てないでいる。だから、結婚にも躊躇《ちゅうちょ》するし結婚してもこんな国に子孫を残したくもなくなる……。それが実態なのではないか、と考えています。

国家の未来は明るい、自分の将来は絶望的

石平　中国の若者たちは公の場で、国家の未来はと問いかけられたら、みんな「バラ色」、「これから我国、中国は世界一の大国となる」と答えます。しかし個人の将来はどうかと聞かれると、本音で「将来はまったく見通せない」と絶望的になってしまうのです。未来が見えているのは大学生まで。一流大学を卒業しても、就職口がありません。仮に就職が出来たとしても、農民工より給料が安いのが、ほとんどと聞いています。

宮崎　大卒の月収はだいたい三千元（日本円で四万五千円）。

石平　それはまだ、いい方ですよ。下手すると二千元です。

宮崎　農民工の年間収入は五万元ぐらいですよ。新卒の給与が二千元だったら年収二万四千元じゃない。農民工労働者より安い。大学なんか出る必要はないね。今、中国の平均的な学費はどうなっているの。

石平　中国はバラバラです。地方より、都会の方が相当高くなります。生活費も含めて普通、大学生は毎月、学費と生活費を入れて一千元は消えます。

宮崎　今、世界一授業料が高いのはハーバード大学で年間七万ドルです。日本はだいたい、私学は横並びで、年間百二十二万円前後。国立大学は年間六十万円ぐらい。わたしが早稲田に入った昭和四十年の時点で、年間、五万円でした。

それで、物価インデックスに当てはめると、おそらく中国の授業料は百万円というイメージでしょう。それで、中国の大学生は自宅から通えるならばいいけど、ほとんどは地方から都会に出てくるわけでしょう。成績優秀で大学寄宿舎に入れる人はいいが、普通の大学生は下宿しないといけない。すると、都会の下宿代だってバカにならないくらい高い。どうやって暮らしているのかな。たとえばひとつの部屋で八人で暮らすとか。

石平　そういうことです。アパートが無理なら、地下室を借りて住んでいます。大学を卒業して給料をもらって、いきなり競争にさらされ人生、順風満帆とはいきません。先ほど触れましたが、クルマと持ち家がないと結婚できない。日本はそんなことはないでしょう。二十代の若者が結婚したら、普通はアパートかマンションを借りて生活をはじめますよね。持ち家やマイカーがないと結婚できないという理由にはならない。

宮崎　中国ではマイカーと家がないと、結婚はダメだということですが、日本の場合は少し違う。基本的に結婚相手の収入が決め手とはなりますが、共稼ぎでなんとかやっていければそれでいいことにもなる。そして、結婚に踏み切れるかどうかのもう一つのポイントは、一流大学を卒業したかどうかです。東大早慶などのような、中国の一流大学に入学したら、一応、人生の勝ち組でしょう。しかし、最近は大学より、どの大企業へ就職したかによって、勝ち組か負け組かが決まってしまうという見方もあります。日本では『東大落ちこぼれ』も目立ちますが。でも、その点では、中国の場合、どんなに優秀な成績で大学を卒業しても、コネがなければまともなところに就職はできない。

石平　ハッキリいって今、文科系学生の就職は圧倒的に不利ですね。哲学部を卒業する人は会社ではいらないといわれてしまう。北京大学哲学部卒の私みたいな人はどこの会社でも、いらないと言われる（笑）。

冗談はさておき、中国政府は覇権主義を唱えていますが、そんな悠長なことは本来ならいっていられないのです。若い人たちが、子どもを産まなくなってしまっているという現実から目を逸らしてしまっている。
多少、先見性のある政治家ならば、問題の重大さが理解できるはずです。こういう問題に真っ先に取り組むことが本来、政府のあるべき姿だと考えます。幸か不幸か、今の習近平政権は、そんなことに関心は全くありません。だから、逆説的にいうと、私はある意味、ちょっと安心しました。そういう習近平だから中華帝国は、あと二十年も続かないよ。

宮崎　えっ、まだ二十年も続くの？

石平　中国という国そのものはまだ続くでしょう。ソ連のように「解体」（崩壊）するまでにはまだ時間はかかるかもしれない。でも、習近平はご存じかも知れませんが、オモロイあだ名をつけられています。習近平のやることなすこと強硬策がみんな裏目に出ていて、そのために共産党支配の崩壊を加速化させていることを暗喩して「総加速師」と言われている。
「総加速師」という呼称は、鄧小平の異名である「総設計師」になぞらえた表現と言われています。

宮崎　だれが、そういう的確なあだ名を付けるのだろう。以前は「プーさん」だったけど。

石平　民間には、賢い人が中国にはいっぱいいますから（笑）。

宮崎　その「賢い」のうえに「ずる」をつけて下さい。そういえば、英語圏では「HITLER（ヒトラー）」にかけて「XITLER（シトラー）」という表現がよく使われています。ちなみに「XI」は「習」のことです。その意味でも、習近平は「21世紀のヒトラー」だね。

第四章

コロナより怖い「中国一人勝ちの脱炭素」の罠

中国ワクチンの効果に疑問

石平　中国武漢発のコロナの禍は、二〇二一年半ばになっても、まだ世界中に広まり続けています。ワクチンが一応できたもののまだ足りないし、変異コロナに十分に効果があるかどうかは未知数です。発生してから一年以上が経過して、今後どうなるのか？

宮崎　去年出した石さんとの対談本『ならず者国家・習近平中国の自滅が始まった！』で、二〇〇七年に出した拙著『中国は猛毒を撒きちらして自滅する』（徳間書店）のことに触れましたが、その書名通りに「自滅」に向かって動いていくことになると思いますよ。ただ、ゾンビだからなかなか死なないね（苦笑）。

石平　盗人猛々しいというのか、「マスク・ワクチン」外交を展開して、「一人勝ち」しているかのように振る舞ってもいる。

宮崎　先進国ではさすがに「中国ワクチン」を使いたいという人は少ない。日本の親中派の面々も「ノーサンキュー」だろうね（笑）。でも、発展途上国相手には中国ワクチンも魅力的にはうつるんでしょう。だから、欧米のワクチンをもらえない国に対して、中国はワクチンをあげるから、台湾と断交せよとか、人権問題に沈黙しろとかの条件をつけて「ゆすりおどし」の「拡材」として使っている。親米派のUAE（アラブ首長国連邦）にもワクチン外交で急接近しています。

トルコは、中国からワクチンを貰った代償として、自国内にいるウイグル人の監視を強めています。トルコとしては劇的な譲歩です。だって、ウイグルとトルコは同じ民族で、言葉もある程度、通じます。ですから民族の裏切りに近いことをやっている。そうやってワクチン外交が効果をあげている側面はある。バイデン政権が、トルコによるアルメニア虐殺を認定したものだから、トルコのエルドアン政権は、ますます反米親中に向かうことになる。

石平　ただ、最近になって中国ワクチンの有効性に対して疑問符が付いています。南米チリでは中国ワクチンの有効性が五四％で低いと公表し、多くの国民が中国製ワクチンを接種しているのに、いまだにコロナウイルスの感染が収まりません。また、驚くべきことに中国国内でワクチン接種を強制的に実行してきたのですが、四月からそれを突然、止めてしまったのです。詳しい理由は分かりませんが、深刻な副反応が多く見られたことから、国民の多くが不安になったのではないかと推察されます。

宮崎　まぁ、去年、マスク不足のおりにマスクをせっせと送ったものの不良品が多くて返還されたことがあったけど、その二の舞かな（笑）。でも中国製のワクチンといえども、「下手な鉄砲も数撃ちゃ当たる」ということで少しは効くこともあるんでしょう。

「コロナを退治した」という中国の「報道管制」に騙されるな

石平　それにしても前述したように、経済統計を誤魔化す中国共産党なら、コロナを退治したとか感染者数や死者の統計も自由自在に操れるのは間違いないでしょう。

宮崎　コロナに関しても、かなり実態とは違うデータを出しているでしょう。例えば、三月には東北部のハルピンを封鎖していました。東北三省内（遼寧省、吉林省、黒竜江省）ではかなりの感染拡大が発生していたけど、中国のメディアはほとんど黙殺しています。首都北京では、隔離対策を徹底的に実施しています。そこは全体主義国家ならではの統制が効いている。それに、病院は完全に共産党に統制されていて、コロナ感染で死亡しても、他の病名にせよと命令されているから、コロナ感染による死者は増えないことにされている。

面白いことに、そこがアメリカと逆です。アメリカでは疾患を抱えた老人であろうと、兎に角、病気で死亡したら、コロナ感染で死んだということにして報告をする。というのもコロナ患者を受け入れると補助金がもらえるからです。コロナで入院すると一人一万三千ドル。人工呼吸器を付けた患者を収容した病院には三万九千ドル出す。

中国が仕掛けた大ペテンの事業・電気自動車(EV)の罠

石平　これからの四年弱、バイデンが大統領として、まっとうに責任を果たせるかどうかは別にして、米中関係は今後、どうなりますか。

宮崎　我々の希望からいえば、アメリカはしっかり中国に対してあらゆる面で強硬派になってほしい。経済は親中、政治は反中という二律相反(政冷経熱)が今のあり方です。ヨーロッパもいまだにそのレベルだし、日本に至っては財界が九〇%、中国に顔を向けている。日本政府が中国から撤退した企業に補助金を出すといっても、まだ八十社ぐらい。撤退してくるどころか、逆に中国進出が増えている。ファナックはロボット工場増設に二百六十億円投じ、日本電産も中国での事業転換に積極的です。日本の対中純投資は増えています。

そのうえに、中国が仕掛けた大ペテンの事業があります。それは、コロナより怖い。コロナは少なくとも数年足らずで解決する問題です。しかし、この電気自動車（EV）はこれから先、何十年にも及ぶ災禍を、日本を初めとする自由世界にもたらす恐れがある。西側がどうしてこれに引っ掛かったか。それは脱炭素がらみの気候変動への恐れが背景にあります。トランプが脱退したパリ協定（地球温暖化対策の国際的な枠組み）にも復帰し、アメリカは二〇五〇年までに「カーボンニュートラル」（二酸化炭素の排出量と吸収量とがプラスマイナスゼロの状態にする）といった実現不可能なことをバイデン大統領は言い出す。

日本政府も菅総理が公式に「カーボンニュートラル」脱炭素社会の実現を二〇五〇年までに目指す、二〇三〇年までに二〇一三年度に比べて二酸化炭素を四十六％削減すると言明しましたね。そのためには、火力発電の増設はしない方針を明らかにしています。しかも〝実質的〟に原発は稼働させない。となると将来、間違いなく電力不足に陥る。それで、日本はどうするのか。この大問題にみんな黙っている。

すべてがEVになったら、それを走らせるために必要な使用電力量は二倍に増えるのですよ。そのことを専門家でも誰もほとんど触れない。地球環境改善とかきれいごとだけ。アメリカの大手自動車メーカーGMは、二〇三〇年までに全モデルをEVに替える計画を発表しました。フォルクスワーゲンもそうです。みんな「右に倣え」で中国が仕掛けたEVに向かって一斉に動き出す。集団のネズミが海に向かって、崖から落ちて集団自殺する、あの話と同じです。世界中の自動車メーカーが、崖から落ちようとしている。そんな「バス」に乗るのは愚かだというしかない。

製鉄業界の大リストラは「お人好し」が原因

石平　いや、日本はすでに乗ってしまっている。カーボンを減らすということは極端な話、製鉄所を止めるようなものです。

宮崎　すでにそうなっています。日本の鉄鋼最大手の日本製鉄が、すでに呉、八幡などの高炉四基を止めているのですが、さらに五基目（鹿島）を止めると発表したのです。高炉一基を止めたら、約八千人が失業します。もちろん、日本企業のトップ企業として責任がありますから、失業はさせずに当面は配置転換、あるいは子会社出向とかで対処するのでしょう。だが、合理化というマイナス費用が増えるのは間違いありません。

何で、こんなことになったのか。一つは中国との競争に負けたからです。二つ目は日本人のお人好しが、特殊鋼板から自動車用高張力鋼板の高度技術を中国にタダで教えてしまったからです。教えてもらった中国は補助金を付けて輸出競争力を高めた。そしてトヨタ自動車が中国産の自動車用鋼板を使いだす。これでは、日本の鉄鋼メーカーが負けるに決まっています。中国への技術移転が日本の鉄鋼メーカーにとって自殺行為であったことは明らかです。それでいいのでしょうか。

高炉は石炭原料のコークスを使うため、大量の二酸化炭素（CO_2）を排出します。CO_2排出を削減するには高炉を停めるのが手っとり早い。コスト削減にもなる。また、火力発電所の煙突から煙が上がっていますが、それが、気象変動を憂える人々の標的になっています。火力発電はけしからんとなっている。

それで、中国はどうか。日本やアメリカより、十年も遅い二〇六〇年まで「カーボンゼロ」を達成すると中国の習近平は約束した。しかし、中国は国際公約を守ったことはありません。二〇〇三年にWTOに加盟した中国は、十五年間だけ途上国扱いにして欲しいといって、アメリカも納得して特別な扱いを中国は受けてきました。その十五年間は、とっくに終わっているのに、中国はいまだに発展途上国だと言い張っています。現在も中国は、ＷＴＯの特典を受けているわけです。

石平　具体的に特別扱いとは。

宮崎　ＷＴＯは政府の企業への補助金を規制しています。だけど、中国は依然として、途上国だと主張してこの規則を守っていないのです。たとえば、造船業界があります。中国の造船業は二〇〇〇年代初頭に世界シェア一〇％にも満たない小さい存在でしたが、政府の経済政策で造船の生産能力向上が図られることになったのです。その目標実現のために、中国政府は造船会社に多額の補助金を供与しました。この結果、中国造船の世界シェアは四〇％に跳ね上がったのです。

補助金を背景に圧倒的な低価格を実現し、中国造船会社は国際競争力を高めることに成功した。そのことがシェアアップの大きな要因です。中国の造船拡大の四分の一は新規市場が生まれた効果、四分の三は日本や韓国から市場を奪い取った結果といわれています。しかも、この補助金は社会的に不採算なもので、投資を上回って利益を生むことはなかった（二〇二一年二月十七日付、日本経済新聞。中国の産業政策を読む・上。渡辺真理子学習院大学教授）のです。こうした不当なことを平気でやっているのです。

だから、中国が二〇六〇年カーボンゼロといっても、守るわけがない。

中国は、ドンドンPM2・5をまき散らしているのに、それを不問にした。世界中がどうかしていると思う。テスラなんて、将来どうなるか分からない会社の時価総額がトヨタの四倍にもなったことがある。トヨタは年間一千万台生産しているのに、テスラは年間五十万台弱です。しかも、中国共産党と公務員はテスラに乗ってはいけないと言い出した。バッテリー事故を起こしたため、それから、テスラに内蔵されたカメラによって、情報がアメリカに漏れるというのがその理由らしい。ということは、中国国内のEVは中国国内で生産したもののしか、認めないということになりかねない。

雪に弱い電気自動車よりハイブリッド車がいい

宮崎　中国は、火力発電所だけではなく原発や水力発電所も作っています。電力供給が間に合わないからね。まして、電気自動車というのは、たくさんの電気ステーションがいる。
そして電気自動車には大量のリチウム電池が必要になります。心配なのは使用後、破棄されたリチウム電池は「毒の垂れ流し」になるのではということです。中国では、水俣病ではないけど公害がらみの病気がドンドン出て来ますよ。電池技術はまだ発展途上にあります。今後、どうなるか分からないし、長時間持ちません。

この間、日本の北陸地方で豪雪がありましたね。多くのクルマが立ち往生して自衛隊が救助に向かった。実は、そのクルマの中に電気自動車があって、それが動かなくなって大変だったという。ガソリン車に比べると、電池切れだと運転を再開するのにも時間がかかるし、車内暖房にしても消耗が早い。そういう非常時の欠陥に触れないのもいかがなものか。

そして、この前の二月のテキサス州の大寒波で、アメリカも電気自動車は大変なことになることが分かったのです。雪が降ったりしたら、バッテリーは二倍、三倍消費してしまい、電気自動車はすぐに動かなくなる。電気自動車はもともと長距離を走れません。

石平　それでも、気候変動を理由にして電気自動車の普及を唱えている人たちがたくさんいる。ガソリン車から電気自動車に切り替えたいわけでしょう。

宮崎　トヨタのハイブリッド車（複数の動力源・原動機を持つ自動車。トヨタのハイブリッド車「プリウス」は、ガソリンで動くエンジン・内燃機関と、電気で動くモーター・電動機の

2つの動力を採用）は世界最先端です。それを疎ましく思っているEUが、それを潰して電気自動車にしたいと目論んでいる。でも、ガソリン車をなくすのは無理だと思う。それでも、やるというなら、どうぞやってください。でもそれは、自動車会社を自滅させるだけです。

ともあれ、「CO_2ゼロに関する経済効果」は、二〇三〇年に年九十兆円、二〇五〇年に年百九十兆円が見込まれています。しかし、キヤノングローバル戦略研究所研究主幹の杉山大志氏は以下のように指摘しています。

「莫大なコストが掛かることを以て経済効果とするのは明確な誤りだ。もちろん、巨額の温暖化対策投資をすれば、その事業を請け負う企業にとっては売り上げになる。だがそれはエネルギー税等の形で原資を負担する大多数の企業の競争力を削ぎ、家計を圧迫し、トータルでは国民経済を深く傷つける。

太陽光発電の強引な普及を進めた帰結として、いま年間二・四兆円の賦課金が国民負担となっている。かつて政府はこれも成長戦略の一環であり経済効果があるとしていた。この二の舞を今度は年間百兆円規模でやるならば、日本経済の破綻は必至だ」（二〇二一年一月二十七日付、産経新聞『正論』）と主張しています。

さらに、杉山氏は中国の脅威にも言及しています。

「中国にとりCO_2ゼロというポジション取りは、国際的な圧力をそらすのみならず、自由諸国を弱体化させ、分断を深める効果がある。世論を活用し戦略的有利に立つという『超限戦』において、いまや温暖化は主力兵器となった。

加えて、太陽光発電、風力発電、電気自動車はいずれも中国が世界最大級の産業を有している。自由諸国が巨額の投資をするとなると、中国は大いに潤い、自由諸国のサプライチェーンはますます中国中毒が高まる。さらには、諸国の電力網に中国製品が多く接続されることはサイバー攻撃の機会ともなる」（同）と危惧しています。

また、スタンフォード大学フーヴァー研究所研究員の西鋭夫氏も「バイデン政権は『脱炭素社会』を揚げ、パリ協定に復帰すると言っています。しかし、バイデン政権が『脱炭素社会』に舵を切って産業活動を制限したら、アメリカ経済は劇的に悪化」（NIPPON2021.2「バイデン政権を揺さぶる『トランプ待望論』」）すると警戒しています。

前出の杉山氏は大変、興味のある指摘をしました。

「電力市場自由化で先行する英国には中国企業が深く浸透した。彼らは中国共産党と一体であり、北京からの指令によって大停電を起こせば、ロンドンの政治中枢、シティーの金融、英国中の病院などを麻痺させることができるという。今後、太陽光発電事業などの形で中国企業が日本へ浸透すると、同様の危険が生じる。警戒が必要だ」（二〇二一年三月十二日付、産経新聞『正論』）と。このように諸手を挙げて地球温暖化対策、賛成というわけにはいかないようです。

「グリーン・ニューディール」は嘘八百

石平　杉山さんは、櫻井よしこさんとの対談「日本の危機を招く脱炭素の罠―背後の中国」（『WiLL』二〇二一年四月号）でも、「グリーンピース」のような環境NGOは中国に物言えないどころか礼賛したりしていると指摘しています。

宮崎　「グリーン・ニューディール」とか、バイデン政権は、はやし立てているけど、環境問題でも中国を頼りにするのは間違っています。三十年以上前に日本の政財界の中国支援の柱の一つはグリーンディールだったじゃありませんか。

禿げ山が多いと、洪水、土砂崩れの原因になる。山に保水力がなくなると、崖崩れ、道路灌木、河口付近の民家は土砂に埋まる。

そこで山々を緑にしよう、って植林事業にふんだんな資金と人材を投入しました。協力した人たちが、中国の植林地へ一年後に行くと、どこにも木々がなくなって、もとの禿げ山に戻っていた。住民が乱伐して燃料に使ったからです。

緑化に成功したのは山東省の北部あたりと甘粛省の蘭州あたりなど数例に過ぎません。この場所にはわたしも行って見てきました。

二〇二〇年の豪雨で、中国各地に予測以上の被害がもたらされたのは、このグリーンディールの失敗も遠因です。

他方、欧米はやり過ぎ。自然環境保護、というより過保護の結果、森林の手入れさえ出来なくなって、日本の林業も廃れ、国有林地帯は荒れ放題となっています。

そして政治ではドイツなどに「緑の党」とかの極左が躍進するという、いかにも矛盾した現象が現れています。

第五章

中国経済は「台湾侵攻」で甦る？

連日に及ぶ中国軍の威圧行動──台湾の危機は日本の危機

石平　第四章で論じたように、環境問題に於ける中国の攻勢を看過してはいけませんが、それ以上に、やはり今後のアジアに於ける安全保障問題が重要になります。そこで最後に、日本はもちろんのこと、アジア全体の安全保障において大切な台湾について触れておきます。台湾が日々、危険な状況になりつつあるのは明らかです。

ご存じのように二〇二〇年夏ごろから、中国軍機が台湾の防空識別圏にしばしば侵入したり、これ見よがしにと中国軍機が台湾海峡の中間線を超えたりしています。二〇二〇年九月十七日にクラック米国務次官（経済成長・エネルギー・環境担当）が台湾を訪れ、翌十八日に蔡英文総統が夕食会を招き「台湾が重要なる一歩を踏み出す用意がある」と発言をした、その日に中国軍機十八機が台湾の防空識別圏に侵入、このうち八機が台湾海峡の中間線を超えました。

そして九月二十五日、アメリカが台湾にアメリカ軍部隊を駐留させることを提案したことに早速、中国の環球時報は「アメリカ軍の駐留は戦争になることを意味する」と恫喝しました。それを受けて、二十八日に南シナ海、東シナ海、黄海、渤海湾の四つの海域で軍事演習を同時に行ったと発表したのです。

さらに習近平は十月十三日、広東省潮州市に司令部を置く海軍陸戦隊（海兵隊）を視察し、盛んに「戦争の準備」に全力を注ぐようにと指示をするなど、兎に角、台湾に対して中国はあの手、この手を使って圧力を掛けている状況です。どう考えても、習近平は本気で、台湾の併合に動き出すと感じています。宮崎さんはこの辺をどう考えていますか。

宮崎　習近平は、軍事基地を視察すると「いつでも戦争が出来る準備をするように」と必ず大袈裟な訓話を言い放ちます。しかし、軍の方は「（戦争の準備は）出来た」とは言ったりはしていないのがミソです。制服組トップの中央軍事委員会副主席・張又侠は「戦争状態になった場合にすぐに、体制が取れるように準備をしている」と言葉を濁しています。戦争はすぐにでも起こせるという習の発言に対して非常に慎重です。

そもそも人民解放軍内部のいがみ合いは、まだ収まっていないと思う。なにしろ、海軍司令のトップに、なぜか陸軍の幹部が就任し、さらに福建省の南京軍区の幹部たちを各軍区の司令などに抜擢するなど人事面での混乱が続いていて、軍内部は党への不満が渦巻いています。そこで石さんに聞きたいのだけど、軍の汚職摘発はどうなっているのか。上から下まで、汚職で染まっているのが、人民解放軍の特色で、江沢民時代は軍人がアルバイトをやり放題だった。習近平になって綱紀粛正したようですが、汚職の摘発は続いているのですか。

石平 かつて、人民解放軍トップの中央軍事委員会副主席だった徐才厚《じょさいこう》などを拘束・逮捕しましたが、軍の腐敗撲滅運動はひと段落したと習近平は判断しているようです。

むしろ公安部の粛清に、これから力を注ごうとしています。というのも今でも、習近平は、かつて収賄容疑で摘発し粛清した政治局常務員だった周永康《しゆうえいこう》の残党に実は怯えているのです。失脚した周永康は警察・秘密警察のドンで、公安部を握っていた人物です。周の息がかかった幹部がいまだに公安部に残っています。去年から今年にかけて上海市や重慶市の鄧恢林《とうかいりん》公安局長などが相次いで捕まりましたが、いずれも周の子分でした。

習近平は、公安部こそが、腐敗の巣窟であるとして、粛清の姿勢を強めているわけです。とはいえ、習近平といえども、軍と公安の腐敗をこれ以上、摘発する「力」はありません。軍と公安の両方を一緒に敵に回したら、自分の地位は危ないと思っているからです。

宮崎　軍の腐敗は分かるけど、公安の汚職構造はどんな形になっているのですか？

石平　ハッキリいって一番の汚職構造は地元のヤクザとの癒着です。地元のヤクザにいろいろな便宜を提供する。例えば、公安部が、不法なことであっても、ヤクザにこれとあれは安全だと青色信号を出す。その見返りに賄賂をもらう。ヤクザと公安部の癒着で重慶市の鄧恢林公安局長が摘発されました。その理由は黒社会と完全につながっていたからというものです。ようするに、公安部が黒社会を保護するための傘になっている。

宮崎　私は以前から指摘していますが、中国の権力者の中には日本でいうところの「石川五右衛門」みたいな人物がいる。まさしく、「公安＝ヤクザ」だね。

石平　ほとんど「持ちつ持たれつ」の関係となっている。

宮崎　その意味では「日米関係」と似ている（苦笑）。具体的に、中国ヤクザと公安は、どのように犯罪をやってのけるの。

石平　兎に角、公安はなんでもヤバイことはヤクザにやらせ、おカネを貢がせる。今、中国のヤクザは日本でいう伝統的な「任侠」ではありません。ようするに、完全な「商売ヤクザ」です。ヤクザの「力」で、一つの街を先ず牛耳るわけです。あらゆる産業から街の飲み屋、飲食店、さらに売春組織なども管轄下において手中に入れています。売春を目的にした浴場施設は街中に無数にあります。中国では浴場が大産業です。

宮崎　「欲情」は「浴場」で処理するというわけですね（笑）。

石平　中国の浴場は都会の中心部にあり、日本の銭湯というイメージではなく、ローマ時代にあった浴場のような総合的な娯楽施設と呼べるものです。

宮崎　日本でいうソープランドのようなもの？

石平　それ以上です。買う以外に、食う、飲む、打つ、と総合的にやる。莫大な利益を上げています。当然、地元のヤクザが管理をして、そのあがりの一部が公安部に流れる。

宮崎　それから麻薬があるでしょう。ギャンブルに絡んで、地下銀行もあるんじゃないかな。

石平　それはヤクザが直接、運営している。今、中国のヤクザは、ほぼ地方経済を牛耳っています。国有企業は別にして、個人経営で、飲み屋をやっていたら完全にヤクザの支配下に入っている。

宮崎　飲み屋というのは、飲食店のこと？　ショバ代とかを徴収するわけだ。

石平　飲食店も含めてです。飲食店はヤクザの保護を受けないとやっていけない。

宮崎　ようするに中国のガンだね。経済のガンでもあるね。

不十分な粛清

石平　習近平は、二〇二一年一月二十二日に共産党中央規律委員会の重要会議で講話を行って、いくつかの認識を示しました。一つが、汚職は依然として蔓延《はびこ》っており、油断してはならないと指摘。そして政治問題と経済が重なる腐敗がある。三番目に、公安部に深刻な腐敗があると述べています。

宮崎　公安部の腐敗って？　日本でいうと警察庁が汚職で上から下まで染まったようなものですか？

石平　正確には「公安系統」における腐敗といっています。中国ではそのような言葉をよく使うのです。「一部で腐敗した利益集団が形成され、非公式な組織活動によって、健全な社会が破壊され、党と国家の権力を盗む。そして国家をかく乱している」と習近平は発言した。まるで文化大革命時代のような言いぐさです。己に対する反対派勢力が、党の権力を盗もうとしているとの指摘は、完全に政治闘争です。

それで二〇二一年二月八日、規律検査委員会の巡視について報告がありました。その中で公安部を名指しで批判し、ハッキリと周永康ら残党の粛清が不十分だと指摘したのです。

習近平は二〇二二年秋の第二十回共産党大会で続投を目指しているのは周知の事実。今までの暗黙ルールに従えば、習近平政権は本来ならば二期十年目にあたる二〇二二年でその地位を終えるはずだった。江沢民、胡錦濤政権はいずれもそのルールに従いました。しかし、習近平は権力の座から降りようとしていない。そのために習近平は権力基盤の強化を一層、図りたいと考えているのでしょう。公安部の粛清はその権力固めの布石なんです。

習近平におもねる風見鶏たち

宮崎 そこで、石さんに、ちょっと質問があります。公安部の腐敗は大問題で、実際に規律委員会はその腐敗撲滅に本格的に乗り出すわけでしょう。規律委員会の本当のトップは誰ですか。
石平 趙楽際《ちょうらくさい》です。中央政治局常務委員の一人で、今は党規律委員会書記も兼ねています。
宮崎 でも、最近の規律委員会は腐敗撲滅に全然、動かないじゃない。この人は確か反・

習近平派だよね。自分の身内の汚職がやり玉にあげられてから趙楽際はすっかりつむじを曲げているとか。

石平　反習近平であるかどうかはよく分かりませんが、趙楽際は昔の王岐山のように、習近平の政敵潰しのために尽力する人ではありません。習近平のため一生懸命に働くという人物ではないのです。

宮崎　それでは、公安部を支配する政治局員は誰ですか。王滬寧《おうこねい》政治局常務委員ですか。

石平　王滬寧ではなくて、党中央正法委員会書記の郭声琨《かくせいこん》ですね。彼にしても、その存在感は薄い。習近平は存在感のない人間をよく選ぶ。優秀なすごい人を採用したら、自分の脅威になるからです。王岐山《おうきざん》がそうですね。

宮崎　出世の手段のために、習近平におもねっている風見鶏のような要人はヤマほどいるね。

習近平と権力のツボ

石平　それでも、十九回共産党大会で習近平の幼友達や、自分が地方で働いていたときの部下を結構、重要ポストに就けています。中央組織部長、宣伝部長、弁公庁主任など、習近平に近い人たちで占めている。また北京市、上海市といった重要都市の共産党書記などは、習近平側近で固まっており、中でも上海市の書記は李克強《りこっきょう》ですが、若くて場合によっては習近平の後継者といわれている人物です。そして李克強の後継者と目されているのが、重慶市書記の陳敏爾《ちんびんじ》です。四大直轄市のトップ人事はすべて習近平が握っています。

宮崎　政治の要諦は習近平が抑えているわけですね。権力のツボはどこにあるのか、よく知っているわけだ。国家運営はデタラメだけど、人事・配置の才能はあるのかな。でなければあそこまでのし上がれないか……。

石平　習近平の強みは、文革で苦しめられた父親から、中国共産党の権力闘争のコツをみっちり教えてもらったことです。その反面、江沢民や胡錦濤などエリート出身の指導者たちは、そうした「権力支配のツボ」を知りません。習近平は、そういう意味で恵まれた環境にいたといえます。権力闘争の勝ち方のノウハウが、習近平の頭にはあるのです。

台湾が併合されたら民主主義国家に未来はない

宮崎　江沢民は元自動車エンジニアだし、胡錦濤に至っては水力発電のエンジニアでしたね。胡錦濤は真面目過ぎたよね。「胡錦濤の十年」というのは「江沢民の院政」だったと総括できるでしょう。ところで、もう一つ。最近、習近平の奥さんが表に出てこなくなったね。

石平　いや、三月の福建省視察のとき習近平と一緒でしたよ。

宮崎　でも、以前は習近平にいつもピタッとくっ付いていたじゃない。最近は微妙に離れているみたい。奥さんは誰かとよく、ウワサされた。夫婦仲は、二人は絶対にうまくいっていないよね。習近平にも愛人はいるようだから。

石平　でも、普通の人でも結婚した後、男女関係はよくもつれるからね（笑）。いわんや最高権力者ともなればやりたい放題になるよ。例えば、毛沢東の正妻は江青ですが、愛人は何百人もいたといわれています。毛沢東の「女好き」は有名。ただ、政治の重要な局面になると毛沢東は、江青《こうせい》を表に出して利用した。政治婚と、愛情（愛欲）は関係ないのです。いつか、習近平が毛沢東のように独裁を固める段階になれば、再び奥さんを頻繁に引っ張り出すようになると思う。

ともあれ、習近平は「下半身」も「上半身」も、毛沢東と同じ道を歩む可能性がある。ただし、習近平は毛沢東のように死ぬまで、一生、権力者であり続けられるどうか。この観点からすると台湾がポイントになります。習近平にとって台湾併合は最後にして最大の賭けでしょう。もし、台湾併合に成功したら、習近平は永遠の独裁者として毛沢東を越えられることになる。逆に、そうしたら日本、アメリカ、欧州など民主主義国家の未来はすべて消滅する。

宮崎　台湾が陥落したら、次は尖閣、沖縄、そして日本本土となるでしょう。

自由・人権の尊さを伝える書籍を排除

宮崎　そうさせないためにも、習近平体制を打破しなくてはならないけど、以前は香港で、『習近平政権の内幕』とかいう本がたくさん買えたけど、最近は、全然、書店で見かけなくなった。香港ＳＯＧＯの裏手にあった問題の銅鑼湾書店に二〇二〇年一月にも行ってみましたが、鍵がかかって閉鎖されたままでした。

石平　香港の言論出版の自由は、中国の内陸部と同じレベルになってしまった。民主主義のない状態。ワックから出ているわれわれのような本は「発禁」でしょう。

今、中国は、共産党結党百周年（二〇二一年七月）に向けて「党史学習キャンペーン」が展開されています。大学生や中高生だけではなく、小学生、幼児までもが対象で、たとえば安徽省の小学生は毎朝、授業の前に全校生が体育館に集まって党の歴史を教える映像を観せられ、校外教師による特別授業を受けたりしています。そして、生徒一人ひとりがクラス全員の前で自分の「学習心得」を発表し、「党の偉大さ」について感想を述べなければならないのです。

さらに、四川省成都市の高新区では、二〇二一年四月十二日午前、区内の小学校児童・幼稚園児、約十万人が同じ時間にそれぞれの校内・園内に集合して共産党旗を一斉に掲揚しました。そこで、共産党をたたえる歌の斉唱や党の歴史を表現する集団舞踊の演出を行っていた。

その一方で、中国教育部（文部科学省）は四月二日、全国の小中高校に通達を出して、「個人主義・新自由主義を主張する」書物を含めた、十二種類の「有害書物」を学校の図書館から排除せよと指示しました。

子どものときから、自由や人権など普遍的な価値観と相いれないような、熱狂的な「共産党信徒」として育てて行くのが、まさに習近平政権の狙いです。

この流れは当然、香港にも押し寄せていて、自由な発想や思考を重んじてきたリベラル教育が大きな転換期を迎えています。共産党は「習近平思想」の強制を行ない、本土はもちろんのこと、香港、ウイグル自治区、チベット自治区などでも浸透を図っています。ですから、習近平の暴露本などを香港の書店で探すのは今や非常に難しいと思います。

宮崎　台湾に行かないとそういう書籍はもう買えないね。今はコロナで台湾にも行けないから裏話の情報が入らなくなった。

台湾侵攻のタイミング

石平　ただ、習近平は毛沢東を超えたくて仕方がない。だから、教育にも手を突っ込み、前述したように、台湾侵攻にも意欲を燃やしている。
宮崎　自らの威信を高め、権力基盤を強化する狙いとして、台湾侵攻を目論んでいると見ていい。

石平　おそらく、そういう意図もあるでしょう。とにもかくにも習近平は本気です。北京冬季オリンピック（二〇二二年二月）が首尾よく終わり、その年の秋に共産党大会があります。その党大会の後に、習近平は台湾へ兵を出すかもしれない。

「六年以内に中国が台湾を侵攻する可能性がある」と米インド太平洋軍のデービッドソン司令官が二〇二一年三月に、米上院軍事委員会の公聴会で証言しましたが、もっと早くなる可能性もあります。

ご存じのように中国共産党政権は発足当初から台湾を国として認めずに、併合すると主張してきました。中国共産党にとって台湾統一は一種の宗教的信念みたいなものです。党是といってもいい。

宮崎　自民党の党是は「改憲」。一向に実現しないけど、中共の党是（台湾併合）はスタンバイだね。

石平　そうです。毛沢東、鄧小平の時代は、台湾解放を主張したものの実現できるだけの軍事力はなかった。習近平時代になり軍事力を急拡大した中国は、いよいよ台湾併合に向けて動くときが来たと信じ込んでいます。

しかし、問題は習近平が香港での一国二制度を自ら潰したことです。習近平は二〇一九年一月の演説で、台湾を「一国二制度」で併合したいと主張したことがありました。しかし、二〇二〇年以降、習近平は「一国二制度」による台湾統一をまったく言わなくなりました。香港で拙速に動いたために、台湾統合に「一国二制度」という方法を使うことができなくなったからです。台湾の国民の拒絶反応が強くなった。かくなる上は、平和的統一の道は完全に断たれたといっていいでしょう。習近平にとっての選択肢はもはや唯一、武力行使しかありません。

習近平が最高指導者となってから、「習近平思想」が党規約に盛り込まれました。ただ、習近平にとって最大のアキレス腱は毛沢東や鄧小平と比べられるような業績がまったくないことです。しかし、台湾を併合したら、習近平は毛沢東、鄧小平を遥かに超える存在となるのは確かです。中国の歴史における彼の位置づけは「民族の偉大なる英雄」になってしまいます。ですから、どうしても習近平は台湾を中国のものにしたいと腹の底から思っているはずです。

そして、習近平が期待しているのは、バイデン大統領が台湾有事のとき、中国との戦争を覚悟してでも、台湾を守るという決断をしないことです。先ほど日本とアメリカの間にある安保条約の話が出ましたが、アメリカと台湾の間には、こうした安保条約はありません。

宮崎　台湾関係法がありますけどね。

石平　しかし、台湾を直接に守るという義務はアメリカにないのです。

宮崎　アメリカは台湾防衛用のみに限り米国製兵器の提供を行うという程度の軍事協力しかできない。法的には。

石平　それだけの話でしょう。だから、そこが結構、中国からすれば狙い目となっています。

宮崎　軍事的な視野に立てば、その危機は高まっているのは間違いない。台湾も「備えあれば憂いなし」ということで軍拡に励んでいます。まず台湾は「射程を従来より大幅に伸ばした空中発射型の長距離ミサイル」を配備したり、新しい潜水艦も建造する。

これまで台湾の軍隊は小さい戦闘能力しかありませんでした。かつて、台湾が自力で戦闘機を作るというので、戦闘機の製造工場を見学に行ったことがある。「蔣経国《しょうけいこく》」号という戦闘機開発の現場を見たのですが、ただ主翼を作っているだけでした。そして開発は見事に失敗。結局、アメリカが戦闘機を売ってくれなければ、台湾の空軍はどうにもならなかった。アメリカは当時、中国に気兼ねをして最新型戦闘機、F－16戦闘機を台湾に売却しなかったので、やむなくフランス空軍のミラージュを台湾は導入したのです。

その後、アメリカはF－16戦闘機を台湾に売却することを決定して現在、ミラージュ戦闘機と共同体制にあります。が、非効率的きわまりない。飛行機の機体が違うと、エンジンからすべての部品は、使い回しが出来ませんからね。台湾空軍は主要戦闘機をはじめ武器体系を統一する必要がある。

一方、海軍を見ると、台湾はまともな潜水艦を持っていません。またフランスから最新鋭巡洋艦ラファエット号を供与されたのですが、その軍艦の機密を台湾海軍トップが中国軍に売ってしまった。それを知って、アメリカ軍は台湾軍を信用しなくなりました。台湾軍に最新兵器を売却したら、中国軍に最高機密が漏れてしまうことを危惧したのです。しかし、香港大乱を目撃してからは、台湾軍は完全に変わりました。

いままで、台湾の政治と軍事を牛耳っていたのは外省人でしたから中華思想で中国と通じていたところがありました。しかし、台湾統一を武力で実行しようする中共からの緊迫感が台湾国民の間で高まってきた。と同時に香港やウイグルの凄惨な状況を見て、自分たちの明日の姿を見たのでしょう。しかも連日、中国軍の戦闘機が中間線を超え、台湾に接近しています。それで、台湾国民の意識が大きく変化しました。だから、ここにきて台湾企業は一転して中国から引き上げつつあるようです。

日本と台湾のハイテク企業を中国ハッカーが狙っている

石平　台湾のハイテク産業をアメリカは重視していますよね。

宮崎　台湾にあるハイテク企業がアメリカの安全保障上からも重要な存在になってきました。アメリカが警戒しているなかに台湾のハイテク産業も含まれています。中国軍の兵器の性能がグングン向上しています。中国のジェット戦闘機や偵察衛星、ミサイルが驚くほどの速さで技術進化を遂げているのです。

特に中国のミサイルは命中精度が急速に向上してきた。そのキーポイントは何か。半導体です。世界中の半導体メーカーの技術水準に比べて、その三年ぐらい先に行っているのが台湾のＴＳＭＣ（台湾積体電路製造）です。今では三ナノメートルの半導体を製造しています。そのＴＳＭＣの工場が中国（上海と南京）にもあります。そのＴＳＭＣの中国での事業展開にストップをかけたのはアメリカでした。

アメリカ商務省が二〇二一年四月、中国の天津飛騰信息技術など七つの中国企業、機関を制裁対象に加えたその背景には、天津飛騰信息技術を介してTSMC製品が中国に軍事転用されていることが分かったからです。このため、TSMCに、軍事利用される可能性の高い半導体部品を中国企業へ供給しないようにさせたのです。

行き場を失ったのはTSMCの中国工場で働いていた台湾人のエンジニアたちです。約三千人がクビになってしまい、中国の国策半導体メーカーSMIC（中芯国際修正電路製造）などへ移ったのですが、その人たちへの給与が支払われず結局、台湾に引き上げてきました。

さらに、前述したように、アメリカはTSMCに強引に働きかけ、工場をアリゾナ州に引っ張ってきたのです。この狙いは世界的な半導体生産拠点となっている台湾で有事が起きた場合、サプライチェーン（供給網）が混乱し、電子機器や自動車の生産に支障をきたすことを、アメリカ政府が懸念したための対策です。

このアリゾナ工場では五ナノメートルの半導体の量産を二〇二四年から開始する予定で、第五世代の最新鋭戦闘機F-35に使用される半導体は、この工場で製造される製品を使用します。

　ただ、ハイテク産業の中枢となっている台湾にも弱みがあります。肝心の半導体を製造する装置メーカーが台湾にありません。半導体製造装置のメーカーは米国のほかには、日本（東京エレクトロン、アドバンテスト、キヤノン、ニコン）とオランダ（ＡＳＭＬ）にしかないのです。また半導体の設計会社はイギリス（ＡＲＭ）です。このように、中枢部分の技術をこうしたメーカーが握っています。この面で台湾や中国は遅れを取っています。
　兵器の最新鋭化の流れを考えると、西側諸国の技術力に「勝てない」と中国側は計算していると思う。じゃあ、中国は勝つためにどうするのか。何をやるか。「超限戦」や「ハッカー」です。とりわけ、ハッカーによるサイバー攻撃を主眼とするのではないか。
石平　つい最近も、ＪＡＸＡ＝宇宙航空研究開発機構や防衛関連の企業など日本のおよそ二百にのぼる研究機関や会社が大規模なサイバー攻撃を二〇一六年に受けていて、警察当局の捜査で中国人民解放軍の指示を受けたハッカー集団によるものとみられることが分かったじゃないですか。そのとき、日本に滞在していた中国共産党員の男がサイバー攻撃に使われたレンタルサーバーを偽名で契約したとして書類送検もされた。
宮崎　今回、関与の疑いが持たれている中国人民解放軍の「６１４１９部隊」は、日本に対するサイバー攻撃を専門に担当する部隊だとみられています。アメリカにサイバー攻撃を仕掛けるのは上海を拠点とする「61398部隊」。正式の軍隊の中に、こういうドロボー部隊があることを日本人も肝に銘ずべきだね。

伝統的な上陸方法ではない

石平　機密を盗むのは昔なら「スパイ」という人間がいなくては何もできなかったけど、今はサイバーテロも可能。同様に、他国に侵攻する戦争といえば、我々が想像する台湾侵攻は、伝統的な上陸作戦、ミサイル攻撃、海上封鎖とかですが、別なやり方で台湾封鎖をするという可能性も考える必要がありそうですね。

宮崎　未来学者のハーマン・カーンの『考えられないことを考える――現代文明と核戦争の可能性』（ぺりかん社）ではないけど、中国が台湾を統治するというのは、別に武力を用いて占領するという意味だけではないと思う。武力で台湾統治しようとしたら大量の上陸用舟艇はいるし、おそらく兵力だって二十万人以上必要になるでしょう。すると、間違いなく台湾人は反抗します。その上で最後に中共が台湾をねじ伏せたとしても、台湾人の全員が白旗を掲げて降伏するわけではありません。そういう民族なのです。つまり、イラク戦争のようなゲリラ戦が台湾でも起きます。そこのところは、中国はきっと想定しています。

するとどうするか。いろいろと威嚇したりして気落ちさせたり、有力政治家やオピニオンリーダーを美人局《つつもたせ》などで籠絡《ろうらく》して世論工作をしたりして、孫子の兵法ではないけど、戦わずして勝つ方法をまずは考えるでしょう。

石平　「張り子の虎」でしかない人民解放軍は、戦わずして勝つのが一番でしょうね。とはいえ、占領支配するとなると、どうしても人員の派遣が最後には必要になる。習近平は、二〇二一年三月に福建省福州市にある「武装警察第二機動総隊」を視察しましたが、そこで「軍事訓練の強化と戦争の準備」を命じています。本来なら、武装警察は国内の暴動鎮圧、不穏分子の取り締まりと排除を任務としていますので、戦争とは直接の関係はありません。にもかかわらず、その武装警察に戦争の準備を呼びかけたのはなぜか。うがった見方かも知れませんが、人民解放軍が台湾に上陸した後に、福建省の武装警察を台湾に派遣することを、習近平は視野に入れているのではないか。やはり習近平はやる気満々と見ておく必要があるでしょう。

宮崎　台湾軍にしても元国民党軍が「祖先」。人民解放軍と同じく「五十歩百歩」というか、軍の上層部は腐敗している可能性が高い。しかも、徴兵制を経て「職業軍人」になった兵士は、ほとんど本省人でしょう。中国大陸各地から台湾に移り住んだ人々の子孫たち。中国軍と戦うとなったら、そんな命令を聞けるか！　ということでした。それが、これまでの構図です。ところが、ここにきて変わったのは台湾人としてのアイデンティティーが軍人の間にも出てきたことです。「国は守らなければいけない」という気持ちが台頭し、中国人であるより「台湾人」だという意識のほうが強くなりました。

二つ目は、郝柏村《かくはくそん》（江蘇省塩城出身の中華民国元軍参謀長）など腐敗した軍幹部はみんな引退したり死去した。そのために、台湾の国防軍そのものが、これまで根強くあった中華思想が薄まって、むしろメンタリティーはアメリカに向くようになったのです。例えば、アメリカ製戦闘機F－16のパイロットを養成するために、台湾人のパイロットをアメリカに派遣して訓練させています。それと、徴兵制を廃止し、今は、自らの意思で入隊している兵士ばかりです。このため兵士の国防意識が相当強くなりました。

それから、中共の「一国二制度」をノーテンキに真に受けていた、これまで中国寄りの立場だった国民党ですら「そんなの嘘っぱちだ」と香港を見て言うようになってきました。現に国民党が「一国二制度」を言わなくなった。総統選で惨敗したあと、二〇二〇年三月の党首選挙で、四十代の江啓臣《こうけいしん》（一九七二年生まれ）が選ばれましたが、これまでの国民党の「親中」イメージを払拭することに懸命です。彼は、二〇一九年には、香港民主活動家の黄之鋒《こうしほう》などと会談し、香港民主運動への支持を表明していました。このように超党派的に台湾は「自分の国を守る」という意思に全体が切り替わったのです。

アメリカの支援を感じ始めた台湾人

石平　アメリカで民主党と共和党がどちらもニュアンスの違いがあっても「反中国」で統一されているようなものですね。そのアメリカがトランプ前政権からかなり台湾にテコ入れしていましたが、バイデン政権になっても台湾支援に力を入れています。

バイデン大統領は、四月に、アーミテージ元国務副長官、スタインバーグ元国務副長官、ドッド元上院議員の三人を非公式ながらも代表団として、台湾関係法制定42周年にあわせて派遣しました。アーミテージ氏は共和党のブッシュ政権、スタインバーグ氏は民主党のオバマ政権でそれぞれ国務副長官を務めたアジア通の元高官。ドッド氏は先の大統領選でバイデン氏陣営に参画した同氏の盟友の一人。

宮崎　そういった相次ぐ米政府の大物関係者が訪台することで、台湾を勇気づけていま す。具体的にはトランプ前大統領が力づくで台湾を応援してくれたことが大きかった。二〇一八年三月にアメリカと台湾の政府高官が往来できる法的な裏付けとなる「台湾旅行法」を制定し、さらに、二〇二〇年四月には台湾の外交的孤立を防ぐことを目的にした「TAIPEI法」（正式には台湾同盟国際保護強化イニシアチブ法案）を成立させました。蔡英文が総統に就任した時点で台湾と外交関係を持っていた国は二十二カ国ありましたが、中国の圧力で次々と断交。その一方で断交した国と中国は国交を樹立し、それと同時に資金援助をします。

例えば、二〇一八年、エルサルバドルが突然、台湾との国交を断絶すると発表、その代わりに中国と外交関係を樹立して、港湾開発のために資金提供を受けたのです。このほか、ドミニカ共和国、パナマ、ソロモン諸島、キリバスなどが相次いで国交を断絶しました。こうした中国の台湾いじめにアメリカは待ったをかけたのです。

今や台湾にある「アメリカ大使館」は要塞と化しています。警備をしているのは米海兵隊です。そして、トランプ政権のときには現職の厚生長官や国務次官を台湾に行かせた。さらには、国連大使も送ろうとしましたが、土壇場で中止となった。これはトランプが大統領選挙に負けてしまったためです。だけど、バイデン政権になってもこの流れは変わっていません。アーミテージ元国務副長官などが、バイデン大統領の要請を受けて訪台し、「アメリカが党派を超えて台湾との協力を深化させるために訪問した」と述べています。アメリカの支援体制を「直《じか》」に感じるようになった。このことも台湾に変化をもたらしている要因です。こうした中、日本も、台湾は自国の生命線との意識を持ち始めています。

台湾侵攻に沖縄県が巻き込まれるか？

石平　中共の台湾侵攻があれば、台湾以外で最も影響を受けるのは日本に決まっていますからね。仮に中国が台湾に武力侵攻したら、当然、尖閣諸島も巻き込まれます。二〇二一年三月二十五日、ＢＳフジのプライムニュースで、笹川平和財団上席研究員の小原凡司氏が驚くべき発言をしました。

「中国軍が仮に台湾を武力によって統合しようとしたら、尖閣はもちろんのこと、沖縄本島も中国軍はコントロール下に置くようにするでしょう」と指摘したのです。台湾侵攻時には、日本も明らかに標的になる。そして、台湾が中国の狙い通りに併合されたら、日本の安全保障は裸同然となります。

宮崎　中国軍から見れば、尖閣や沖縄本島を軍事的に封じ込めない限り、安心して台湾侵攻できません。何しろ、沖縄本島には最強のアメリカ海兵隊の基地があり、中国軍にとっては最大の脅威です。小原氏の指摘はごく当たり前のことで、中国軍は沖縄本島もコントロール下に置きたいと考えているでしょう。いずれにしても、中国軍はアメリカ軍が出動しないという前提を作らないと、台湾侵攻はできません。

台湾と日本をセットに占領を考えている

宮崎　軍事的に台湾を自分（中国）のものにしたら、日本は「セット」ですから、その次には日本占領を考えてきます。これは、冗談話ではありません。

日本やアメリカは、台湾と同盟条約こそないけど、アメリカは何らかのカタチで干渉する。こうしたことは今までもやってきました。コソボ紛争でアメリカは直接、関係ないのに、アメリカの爆撃機が連日のように上空からセルビアに爆弾を落としました。おまけに、ベオグラード市内の中国大使館まで「誤爆」した。当時中国は、セルビア側を支援していたため、故意に攻撃したのではないかとも言われましたが、ともあれ、そういう手荒いことをアメリカはイザとなったら平気でやります。

石平　アメリカに対するそういう懸念があるからこそ、習近平が今、台湾侵攻にいま一歩踏み込めないのだと思います。でも、果たしてアメリカ軍がコソボ紛争の時のように、台湾の防衛のために出撃するかどうか。その一点がカギです。アメリカはどういう戦略を実行してくるのか。曖昧戦略なのか、それとも軍を明確に出動させるのかどうか。そのところは、習近平にも読めないし分からない。だから、彼は、今は台湾に手が出せないのです。アメリカ軍の出動はないとの確信が得られたら、中国軍は必ず台湾侵攻に動きます。

中国は台湾のハイテク技術に狙い

宮崎　前述したとおり、中国は半導体を組み立てていますが、半導体を自製できません。半導体は台湾のＴＳＭＣなどからの輸入に頼っています。だからこそ、台湾侵攻によって、中国は、台湾の半導体を自分（中国）のものにするというメリットがある。それなくして5Gの次、二〇三〇年の実用化をめどに開発が進められている「6G」開発競争に遅れを取るのは必至です。だから、背に腹は換えられないということもありうる。

石平　高度なハイテク技術の奪取を狙っていますね。

宮崎　日本だって高度な半導体技術は持っているから狙われても当然。そういえば、四月にルネサスの半導体製造の那珂工場（茨城県ひたちなか市）が原因不明の不可解な火災発生でダウンしましたよね。東京電力柏崎刈羽原発（新潟県）でも、テロ対策の不備が相次いだ問題で、原子力規制委員会が、東電が不正侵入を検知する設備の点検や改善活動を怠り、経営層の関与も不十分だったと断定しましたよね。危機管理の欠如がこういう「火災」「人災」を招いているのではないか。

石平　平和ボケが七十年近く続いていますからね。その点、「張り子の虎」であっても、中国共産党はやるべきことは着々とやってきた。尖閣諸島周辺の日本領海への侵犯を繰り返す中国海警局の船舶による武器使用について明記した「海警法」を制定した。国際法違反だと日本は批判していますが、まったく我関せずの態度。このあたりは日本も少しは見習うべきでしょう（苦笑）。

宮崎　海警といえば、日本で言えば海上保安庁。沿岸警備隊として位置づけられているけど、こうなると、海警といっても、完全に軍隊と同じ。

石平　中央軍事委員会所属になっていますからね。

宮崎　名称を「武装人民警察」といっても「第二軍隊」という位置づけです。人民解放軍は二百三十万人だけど、武装警察は八十万人といっている。つまり、合計して三百十万人の大規模な軍隊です。

一方、日本の自衛隊は定員二十四万人で、情けないことに定員割れのまま推移しているのが実態です。また普通の国だと軍隊を辞めたら大概が予備役《よびえき》になりますが、日本の場合、ほとんど予備役（予備自衛官）になる人はいない。あまりになり手がいないから民間から募集している。自衛官を辞めたら、恩給を貰って、「はい、さようなら」なのでしょう。ちなみに予備自衛官の訓練は年間、たったの六日間です。

尖閣上陸ぐらいでは怒らない日本人？

石平　実際に尖閣諸島に中国人が上陸したら、日本の世論はどう動きますか。

宮崎　中国人が尖閣に上陸したら、日本の世論は変わるかどうか。パールハーバー奇襲を受けて、中立意識をかなぐり捨てて開戦に賛成した米国民のようなコペルニクス的転回にはならないと思う。奇襲攻撃を受けてアメリカ兵が二千人、三千人死んだから、アメリカ国民は怒り復讐心に燃えて日本との戦争突入に傾いた。また盧溝橋事件や通州事件による日本人虐殺などがあったから、日本人も「堪忍袋の緒」が切れて、シナ事変（日中戦争）は拡大していった。

でも、無人島の尖閣諸島に中国人が上陸したぐらいで日本国民は怒らないと思います。朝日新聞なんかが「冷静に対処せよ」とキャンペーンも張るでしょうから（苦笑）。ただ、中国側の侵入を防ごうとして海上保安庁の艦船や自衛艦との攻防があって犠牲者がでたり、その映像が流れたら世論も変わるかもしれない。

当時の海上保安官、一色正春さんが中国船と巡視艇の衝突現場の映像を独断で公開して、そんな中国人船長などをさっさと保釈したのはケシカランと国民が怒ったりしたことがあった。だから、そうした映像があるのとないのとでは国民感情は随分変わってきますね。

石平　問題は、日本のマスコミと国民にあると思います。尖閣諸島で日中が武力衝突の危険性が高まったら、日本の大手新聞は「尖閣が大事なのか。命が大事なのか」というフレーズを使って、「戦うのをやめて、平和的に話し合いの外交で対処すべき」という論調をいっせいに展開するでしょう。そして、日本国民の戦意を打ち砕こうとします。それが予想されます。百田尚樹さんの描いた『カエルの楽園』（新潮社）の世界そのものです。百田さんとは、『「カエルの楽園」が地獄と化す日』（飛鳥新社）との対談本を出していますが、その再現となりかねない。

日本では社会科の授業で「人間の命は地球より重い」と教えられているそうですね。多くの日本人は「命が何より大切」という言葉に弱い。

「大事なのは尖閣か命か」と問われたら、多くの日本国民は「命が大事」と答えるに違いありません。このような国民世論を背景にマスコミが「話し合いをせよ」とやったら、日本政府、海上保安庁、自衛隊は身動きが取れなくなる可能性があります。それを心配しています。

かつて社民党が、「今、集団的自衛権にNOを」というキャンペーンで、うつむく子どもを起用して「あの日から、パパは帰ってこなかった」という選挙ポスターを作成したことがありました。「子どもに悲しい思いをさせてはならない。だから、自衛隊は戦うな」

というわけです。日教組と共に「自衛隊員」に対して「税金ドロボー」と罵っていたくせに、急に「自衛隊員の命を守れ」ということで、そんな感傷的なポスターを作ったりもする。ご都合主義の最たるものです。

つまり、彼ら左翼にとっては、自衛隊の存在意義はせいぜいで災害派遣しかない、ということです。日本の左翼マスコミは常に「武力ではなく外交交渉で立ち向かえ」と主張します。それに従ったら日本は戦う前から中国に「完敗」です。それでいいのでしょうか。日本国民はどう判断するのか。世論は大きく分断されるのではないか。それを恐れています。

宮崎　四月の日米首脳会談について、朝日新聞は四月十八日付社説で「台湾有事が仮に現実になれば、日本は他人ごとではいられない。安保法が定める『重要影響事態』として米軍への後方支援を求められる可能性が高い」として、「日本が果たすべき役割は、米中双方の自制を求め、武力紛争を回避するための外交努力にほかならない」と強調しています。早速、石さんが懸念された報道がありました。中国とは話し合いをするにしても、力を背景としなければ向こうが応じることもない。ヤクザ相手に街の商店街のおじさんたちが交渉できますか？　後ろに警官などがいないとヤクザも相手にしてくれるわけがない。そんな簡単な人間社会の道理も大新聞の論説委員や野党政治家には分からない。平和ボケといわれる所以ですよ。ものごとは話し合いでは解決しないのです。

石平　まったくその通りです。大新聞の言う通り話し合い路線を続けていたら『カエルの楽園』ではないですが、日本は中国の属国（衛星国）になってしまう。今、ウイグル自治区やチベット自治区や南モンゴルや香港で何が行われているのか。少数民族に対して「民族の浄化」が行われているのです。ウイグルの若者（男）を強制的に収容所へ連行し、地方にある工場で強制労働者を強いています。地元に男性がいなくなり、ウイグルの若い女性は「入植」してきた漢民族の男性と結婚させられます。純粋なウイグル人をこの地球上から抹殺しようと企んでいるのです。しかも、若い女性に避妊手術を強制的に実施しているとの報道もあります。

一方、チベットでも非人道的な行為が横行しているようです。それと同じことが、属国となれば、日本でも必ず起こります。自由は完全になくなるでしょう。

沖縄県が仮に、中国の支配下に入ったら、人民解放軍の巨大基地が沖縄県に建設されるのは間違いありません。このときに地元住民が騒音で基地反対と訴えたら、その住民は拘留、逮捕され、場合によっては中国本土に連行・処刑となるでしょう。沖縄県も今のウイグルや香港と同じ道をたどることになります。沖縄住民が「自衛隊、アメリカ軍は出て行け」と、叫んでも日本では、言論の自由で守られています。日本は本当に素晴らしい国家だと思います。が、中国はそうでないのです。そのことを肝に銘じてほしい。

中国の属国になって、どのような人権被害を受けても誰も助けてくれません。常任理事国に中国とロシアが入っている限り、国連は頼りにならないのは分かり切ったことです。さらに国際社会は本気で中国に圧力をかけることはしないと思う。中国の力に怯えて、外交的に紙切れの声明を出して抗議するにとどまるのが落ちです。どの国も日本のために戦ってはくれない。日本よ、目を覚ませ、と言いたい。

日本独自の抑止力を高める

編集部　元防衛大臣の石破茂氏は日本経済新聞に次のようなことを語っていました。

「尖閣は日米安全保障条約第五条の適応を受けているという。しかし海保や海自では対処できないので何とかしてくれと頼んでも、米国はそんなことには巻き込まれたくない。中国が既成事実をつくり、米軍が動かないという事態は十分に想定される。あくまで日本国として対処すべきで、法的にも能力的にも切れ目のない態勢をきちんと整えておくことが中国への抑止になる」（二〇二一年三月十八日付、日本経済新聞）と言っています。石破氏は、アメリカ軍が動かないと危惧しています。

現に、米軍のある司令長官は議会で日本から米軍の支援を依頼されても「現地に赴くまで約三週間かかる」「それまで、日本の自衛隊は頑張って抵抗してほしい」と議会証言しています。しかし、三週間経ったら間違いなく武力衝突の決着がついているでしょう。

しかも、アメリカが、「二〇一〇年十一月二十三日に北朝鮮が韓国・延坪島《ヨンピョンド》を砲撃した際、米国は事態のエスカレートを恐れて同盟関係にある韓国軍に自制を促した。米政府が核兵器行使を示唆することで北朝鮮を抑止することもなかった。同じような事態が日本に起こらない保証はない」（二〇二一年一月十二日付、産経新聞）と。アメリカは韓国軍の動きを封じ込めたのですが、それと同じことが日本の尖閣諸島でも起きる可能性はあるのでしょうか？

宮崎　でも、親中派だといわれていたバイデンでさえ、アメリカ世論は無視できません。その世論が大きく変化しています。何と八九％のアメリカ人が中国は信じられない、敵だと言っている。日本の場合、この比率はアメリカよりもうちょっと多い。アメリカも日本も民主主義の国家です。この国民の声を無視するわけにはいかない。もしかしたら、「日本（台湾）を救え」という声がアメリカ世論となる可能性も万に一つはあるでしょう。

石平　そういう意味で、逆説的に言えば、私は習近平が「大好き」です。万々歳です。習近平が国家主席に就任してから、この九年間でやったことはアメリカ人、日本人、イギリス人、オーストラリア人もみんな敵に回したことです。中国に対する警戒心や、敵対心をあちこちで高めた功績は大きい。鄧小平が「草葉の陰で泣いている」でしょう。鄧小平がやっと手に入れた国際社会からの「信頼」という財産を、放蕩息子の習近平が完全になくしてしまった。それは見事です。そういう意味では江沢民、胡錦濤はものの数ではない。この〝偉業〟は毛沢東、鄧小平を越すね（笑）。

宮崎　習近平のスローガンは「毛沢東を越える」でしたね。

習近平は消えた方が世界のため、中国のためか

宮崎　中国の人民解放軍が台湾に侵攻したら日本は確実に巻き込まれますが、たぶんやれることは後方支援でしょう。湾岸戦争でも日本は、戦争が終わったあとで機雷掃海を

していた。

石平　前述したように、人民解放軍創立百周年は二〇二七年ですが、二〇二二年二月に北京五輪を終えると、秋に第二十回共産党大会があります。この秋の党大会で習近平は三期目の国家主席就任となることでしょう。繰り返しになりますが、その党大会前後で、習近平としては台湾侵攻をしたいという、強い思いがあるはずです。

宮崎　それまでに台湾でテロを頻発させて、台湾国民を揺さぶるはずです。アメリカでアジア人襲撃が頻繁に起こっています。あれも陰謀史観ではないですが、中国の政府組織が関与している可能性だってあるかもしれない。失業している黒人に金を与えて「あのアジア人を蹴飛ばせ」なんてやれば、あんな事件はいくらでも起きますよ。そうなればどうなるか？

「アメリカにウイグル問題を語る資格はない。自国内で黄色人種を排撃しているではないか」という国際世論を沸き上がらせることが可能になるじゃないですか。

石平　中共ならそういうことをやりかねない。ともあれ、ここまでくると、怒られるかもしれませんが、中国共産党のため、世界平和のためにゴルゴ13か誰かが、習近平を暗殺する以外に道はないと思う。誰だったかアメリカ政府高官が中国レポートを出していましたが、この中で、「中国の習近平を消せばほとんどの問題は収束に向かう」と主張していました。本当にそう思う。

宮崎　もはや「習近平は21世紀のヒトラー」。習近平が消えれば、中国共産党内の国際派の汪洋《おうよう》、李克強《りこっきょう》、胡春華《こしゅんか》が実権を摑むことになるかもしれない。それなら、中国はまだマシにはなるよね。

石平　習近平は、自分が暗殺されなくとも劉少奇《りゅうしょうき》みたいに失脚させられるかもしれないという危険を察知していて、次の党大会で、李克強を政治局常務員から追い出すでしょう。党大会の翌年（二〇二三年）三月の全人代で首相が入れ替わることになっているから、当面、李克強を全人代の議長に持ち上げるかも知れない。習近平が誰を次の首相に就任させるか注目されます。側近はみんな習近平以上のバカだから、習近平にしてみれば使い易いのを選ぶでしょう。ひとつの可能性としては胡春華を抜擢するかも知れない。胡春華は李克強のように習近平に反抗しません。若いですし習近平の番頭として働くでしょう。余談ですが、胡春華は私と同じ一九六二年生まれ。しかも同じ北京大学卒業です。

宮崎　えっ、そうなの。じゃ、胡春華が国家主席になったら、石さんが、台湾民進党政権時代に中華民国総統府国策顧問になった金美齢さんみたいに、中国政府の顧問になったりして（笑）。

石平　いやいや、それは百%ありえない。でも、いずれにしても、習近平はそこで、政治局常務員を何人か代えて長期政権の布陣を敷《し》く腹づもりです。

そして習近平は（台湾合併を）やる気満々で、やらなかったら、何のための長期政権かという話になる。

中国経済が破綻したら軍事行動を速める

宮崎　問題は、その方向性があるにせよ、その前に中国経済がおかしくなった場合には、国民の眼をそらし、問題をすり替えるために、軍事行動を速める危険性があるということですよ。

石平　その可能性は十分にある。習近平は、自分が長期政権となれば、バブルの崩壊は避けられないと見ている。これまで、温家宝も胡錦濤も、ある意味ずるかった。どうせ十年間首相、国家主席を務めれば、辞めることになる。辞めたら、あとは次の人の責任。

自分の統治時代の失策に対して責任を負わないで済む。だから、任期中はあらゆる手段を使ってバブル崩壊を延期させればいい。しかし、習近平は死ぬまで権力の座にいるつもりなので、在任中のバブル崩壊は避けられない。

となると、どの時点で崩壊させるか、それだけの問題となる。習近平は経済が分からなくても、彼の腹心である副首相の劉鶴《りゅうかく》は分かっています。

習近平からすれば、胡錦濤《こきんとう》・温家宝《おんかほう》政権のツケが回って来たと思っているでしょう。これをどうやって乗り越えるか。いったんは、パンクさせないといけないと考えている節があります。

経済崩壊をしても、政権は潰れない方法があるのです。それは完全な経済統制を実施し、あらゆる反対意見を封じ込めればいいのです。そして、対外戦争を仕掛けて、国内の矛盾をすべて、外に向かわせてしまう。対外戦争を発動すると、戦時統制ができるので、国内経済のさまざまな問題はしばしば破綻を隠し通すことが可能になります。破綻したとしても国民の不平不満を抑えることができる。だから、こうした危機管理的な形でのバブル崩壊ならば、共産主義の統治を維持することができるだろうと考えています。

庶民は破綻を感じ始めている

宮崎　これだけ当局が経済を抑制していますから、事実上、中国経済はすでに破産しているようなものです。その事実を、ひた隠している。だが、中国の民衆はそのことを薄々、感じ取っているのです。工場に行ったら、コロナ禍の後遺症がまだ残っていてロクに稼働しておらず、みんな座り込んでいる。そのことは一切、報道されません。また、給与は払われないので、生活が非常に苦しくなった。でも株価だけが上昇している。中国国民の本当の生活実態を、共産党指導部はまったく知らないのではないでしょうか。

中国人民銀行の幹部たちは、ＧＤＰが伸びているので問題はないといっています。たとえ負債が増大していても人民元を刷り、対応するから大丈夫と、みんな口をそろえる。臭い物には蓋をする格好です。しかし、中国の経済学者は一部、知っているのです。限界がすぐ、そこまで来ていることを。

石平　確かに中国のバブル崩壊はもう避けられない。習近平が賢い人間なら本来、胡錦濤や温家宝と同じやり方をすればよかった。「二〇二二年に退陣するから、再来年はどうなるか、俺（習近平）はもう知らない。あとは野となれ山となれ！」と。だが、習近平は色気を出して、これまでの慣習を破って、国家主席の地位に生涯とどまると言い出した。その背後には、おそらく王滬寧がいると思う。王滬寧が習近平をそそのかし、毛沢東を越える、長期政権を実現し、歴史に名を残そうということになった。

そうなると自分（習近平）がバブル崩壊問題を引受けなければならない。

しかも、国際関係を自ら壊して中国は益々孤立を深めつつある。経済の問題を含めてこうした難問を一発で解決する手段がある。それが何度も言いますが台湾統一です。

共産主義、全体主義国家である中国は、強権を発動して武漢発の新型コロナウイルスをコントロールし、表面的には一人勝ちでプラスの経済成長を遂げていると言われています。その反面、民主主義で自由主義国家の代表国であるアメリカはコロナの死者が六十万人を突破し、いまだに経済は完全に立ち直っていません。だから、世界中の発展途上国は、中国の全体主義的手法に傾斜しつつあります。それを感得した習近平は「裸の王様」でしかないのに「自分こそ、世界の勝者だ」と勘違いをしているのです。今、習近平は自信満々です。だから、習近平政権は何をしでかすか分かかない。今後、数年間、中国は一番、危ない国家だと思う。

戦争を仕掛けて国内体制を一本化

宮崎　権力者にとって戦争は国家運営をするうえで非常に効率を上げる要因となる。鄧小平政権のとき、権力がバラバラで実権を握れなかった。そこで鄧小平は、ベトナムに戦争を仕掛けて、人民解放軍を引き締めた（一九七九年・中越紛争）。自分に反対する軍閥勢を最前線に送り出してベトナム軍に「粛清」してもらった。一石二鳥。毛沢東も朝鮮戦争に義勇軍を派兵した時、旧国民党の兵士を前線に送り込んで、国連軍（米軍）に「粛清」してもらった故事がある。だから、それと同じ事を習近平はやりますよ。習近平の命令に従わない戦区の兵隊は台湾侵攻の時は最前線に送られることになる。

石平　その当時、鄧小平にとって戦争に勝つか負けるかどうかは、どうでもいいことだったのです。ベトナムと中国の戦争で、圧倒的にベトナムが勝利して、人民解放軍は多大な損害を被った。しかし、鄧小平にとっては戦争をやったことに意味があったのです。

宮崎　戦争を行ったことで、国内体制をすんなり一本化できたからね。

石平　だから、アメリカ軍高官が、我々と同じように台湾有事が早めに来るかもしれないと警告しているのです。イギリスもいろいろな情報から、台湾有事を独自に察知している。だから、この周辺海を守ることを目標にして、繰り返しになりますがイギリスは空母を派遣することにした。世界が台湾問題を巡ってぐるぐると動き出した。では、どうやって台湾を守るか。日米同盟のもと、日本は具体的、軍事行動について検討する段階に入った。たとえば、ある日、突然アメリカが台湾を国家として認めたら、世界各国は一斉に台湾と外交関係を結ぶでしょう。それからアメリカは台湾と、安保条約を結ぶ。

「ラスプーチン」という存在

宮崎 いや、そんな大転換は、バイデン大統領にはできないと思う。

石平 トランプ政権が二期目に突入していたら、出来たかも知れない。

宮崎 確実に出来たでしょうね。でも、バイデン大統領の回りにいるスタッフ連中を見て分かるじゃない。ブリンケン国務長官からして現状維持派です。バランスオブパワーで、変革を自らやろうという意思を持った人はバイデンの回りにはいません。中共があまりに肥大化して膨張しようとしているから、さすがにそれは押しとどめようとしている。それが「反中」に見えないこともないから一定の評価を与えることはできるけど、ワンダフルというわけにはいかないね。

ところで、中国共産党序列三位の全国人民代表大会（全人代）常務委員長（国会議長）の栗戦書《りっせんしょ》は、それなりの指導権を持っているの？

石平　おそらく、習近平を裏で動かしているのは、王滬寧《おうこねい》です。ハッキリいって王滬寧からすれば、栗戦書は、中央政治において青二才の分際です。ただの子どもですよ。王滬寧は江沢民時代、胡錦濤時代を通じて、ずっと中央政治に関わって来ました。中国政治を知り尽くした人間です。王滬寧が中央政局にいたときは、副主席だった習近平に対して、上から見下ろす態度だったのです。そういう人が中央政局で生き残ると、完全に彼が政権の黒幕になってしまう。中国政治の闇の世界でずっと生き延びているのは王滬寧だけです。

宮崎　二階さんみたいな存在かな（苦笑）。ちょっと違うか？

石平　みんなが分からないのは、当時の江沢民が李克強を潰して、習近平を国家主席に担ぎ出したことです。李克強の方が国家主席に相応しいとほとんどの長老たちは考えていた。ところが、そうした決断をしなかった。それは、なぜか。江沢民は習近平の方がコントロールしやすいと思ったからです。「大人しいから、あいつ（習近平）は、俺たちの話を聞くだろう」と判断した。

だが、完全に見誤った。習近平は国家主席に就任してから豹変したのです。どうして豹変したか。王滬寧の存在が大きい。王滬寧は、おそらく江沢民や胡錦濤たちの弱点を何でも知っていた。王滬寧は、「ラスプーチン」（一八六九年〜一九一六年、グリゴリー・ラスプーチン。帝政ロシア末期の聖職者、祈禱師で、ロシア帝国崩壊の一因を作ったといわれている）と同じです。実際、王滬寧が習近平を操っているかも知れない。習近平の行動はすべて王滬寧が書いた青写真の上にあると、私は見ています。今年はこうする、来年はこうなるとシナリオを書いている。そのシナリオにそって習近平は動いているだけと見ることも可能です。

習近平を見誤った長老たち

宮崎　江沢民と胡錦濤は、習近平に対して「俺たちのいうことを聞け」といって当初は押さえつけた。しばらく習近平は大人しく、従うような素振りを見せていたね。だが、国家主席に就任した、その日から習近平は反腐敗撲滅運動を実行した。「虎もハエもたたく」と宣言し、大物幹部を次々に拘束・逮捕して、一時、中国国民から大喝采を浴びました。しかし、この腐敗撲滅運動で、よく見たら逮捕されたのは全部、江沢民派の重臣たち。つまり、狙いは江沢民派潰しだったのです。自分（習近平）の派閥と忠誠を誓う派閥の利権には一切、手を付けなかった。

石平　反腐敗への切り込み隊長が、習近平の親友である国家副主席の王岐山でした。党中央規律委員会書記に就任しましたが、そのシナリオをすべて書いたのは王滬寧です。王岐山と王滬寧の神輿に乗って、ますます皇帝みたいな役割を習近平は演じた。これで習近平政権が成り立っていった。だが、国民から高い人気を集めた王岐山すら、政治局常務員から追い出されてしまった。今や完全に習近平をコントロールしているのは王滬寧だけです。

宮崎　王滬寧は今、何歳ですか。

石平　一九五五年十月生まれの六十五歳。アメリカに留学した経験があります。

中国共産党では「内部分裂」が進行中

宮崎　最近は、習近平と王岐山の不仲が取りざたされている。

石平　やはり、習近平は自分より敏腕を振るって国民から高い人気を得た王岐山を警戒しているのだと思う。

宮崎　王岐山の側近中の側近といわれている薫宏《くんこう》党中央巡視組長を、党の重大な規律違反があったとして二〇二〇年十月に摘発したのに続き、王岐山の友人で実業家の任志強氏が習近平を批判した罪で、懲役十八年の有罪判決を受けました。任氏は習近平を「衣服を剝ぎ取られても、皇帝になろうとしているピエロ」と言った。そう言えば最近、王岐山の姿が見えないね。裏ではいろいろと、動きがありそうだね。

石平　習近平体制は一枚岩ではないのです。二〇二一年三月の全人代で共産党指導部に亀裂が入ったと見られる事案がありました。

それは、李克強首相の政府活動報告で二点ほど不可解な点があったのです。

その第一が、香港マカオについての発言です。読売新聞はこの報告内容を次のように報じました。香港は「『一国二制度』の方針を引き続き全面的に貫徹し、国家安全維持のために法制度を実施する。外部勢力の干渉を断固として防ぎ、長期的な繁栄と安定を保つ」（二〇二一年三月六日付）と。また日本経済新聞も、同様に「『一国二制度』の方針を引き続き貫徹する。（中略）香港に対する外部勢力からの干渉を断固として防ぎ、食い止め、長期的な繁栄と安定を保つ」（同付）と報じています。

おかしくありませんか。何を言いたいのか。この報告で「一国二制度」の方針を貫徹すると李首相は発言しているわけです。これは、明らかに習近平の方針と違っています。習近平は香港統治の基本方針である「一国二制度」を排除して、「一国一制度」に変更すると明言しているのです。

しかも、李克強首相は報告で「愛国者による香港統治」という言葉を入れていません。二〇二一年一月二十七日の習近平国家主席と林鄭月娥《りんていげつが》行政長官との会談で、林行政長官は「愛国者治港＝愛国者による香港統治」を基本原則にすると公表しました。加えて、三月四日の政治協商会議でも汪洋会議主席・政治局常務員による工作報告でも「愛国者による香港統治」が強調されたばかりです。これまで工作報告では必ず、鄧小平時代からの香港根本政策である「一国両制（一国二制度）、港人治港（香港人による統治）、高度自治」の〝十二文字〟を入れてきたものが、今回の報告では完全に無視され、一言も触れません。

しかし、全人代における李首相の報告では、この〝十二文字〟が完全に復活し、この原則を守ることをハッキリと宣言したのです。これは明らかに李克強首相による習近平国家主席に対する反旗です。つまり、指導部で内部分裂があると捉えられます。私たちの知らない裏の世界で、権力闘争は激しさを増しているのかも知れません。

宮崎　中国で二〇一三年に引退した温家宝前首相がマカオ紙に発表した亡き母を回想した寄稿がインターネット上で削除や転送制限を受けましたね。暴力が猛威を振るった政治運動、文化大革命（一九六六～七六年）に触れるなどしているためと見られていますが、元国家指導者の発言を封じるのは珍しい。

昨年十二月に亡くなった母親が清廉潔白な人だったことや、父親が文革時代に暴行を受けたことなどを回想して、最後に「中国は公平と正義に満ちた国で、人を尊重し、自由で奮闘する気質があるべきで、そのために私も努力してきた」などと締めくくっている文章です。

石平　習近平政権に対する「風刺」とも読めるあたりが逆鱗に触れたのかもしれません

ね。ともあれ、コロナによってトランプの二期目の政権が無くなり、日本の安倍政権も昨年交代を余儀なくされました。日本でもこの秋までに総選挙が行なわれます。その結果がどうなるか。韓国大統領選挙までも一年もありません。北朝鮮も不気味に胎動しています。台湾を睨む中国の動静からも目が離せませんね。

宮崎　北東アジアに於ける日本の動向が世界の平和と秩序に大きな影響を与えるのは間違いありません。ペリー来航時の「泰平《たいへい》の眠りをさます上喜撰《じょうきせん》（蒸気船）、たった四盃で夜も寝られず」という有名な狂歌がありますが、習近平による「泰平の眠りをさます台湾（尖閣）侵攻、たった（ミサイル）四発で夜も寝られず」とならないように、日本人は覚悟を決めて危機に備える秋《とき》を迎えたと思います。

おわりに——中国の転落と習近平の退嬰化

宮崎正弘先生との対談本が編集段階に入ってから、今後の中国と習近平政権の成り行きをうかがう上で重要な意味を持ついくつかの新しい動向があった。

その一つはまず、対談の中でも言及した、中国を代表するＩＴ大企業ファーウェイの転落のさらなる展開である。

二〇二一年四月二十九日、世界的にも有名な調査会社Ｃａｎａｌｙｓは、二〇二一年第１四半期の世界・中国のスマートフォン市場にかんする調査報告を発表した。

それによると、この時期における世界市場のスマートフォン出荷台数は三億四千七百万台であって、前年同期比で二七％増の急成長となった。その中で業績が一番良かったのは韓国のサムスン社。スマートフォン出荷台数は七千六百五十万台、世界のランキング第一位となって、世界全体の市場シェアの何と二二％を占めた。

しかし、サムスンの実績と比べて見たら、中国ファーウェイのそれはまさくし惨めなものであった。同じ時期において、ファーウェイのスマートフォン出荷台数は千三百八十八万台、サムスンのそれの五分の一以下、世界ランキングの五位以下となった。これで世界市場に占めるファーウェイのスマートフォンのシェアはわずか四%となった。

今から二年前の二〇一九年、世界市場におけるファーウェイのスマートフォン出荷台数はサムスンに次ぐ第二位、一七・六%のシェアを占めていた。しかし今になっては上述のような惨状。中国メディアの使った表現で言えば、ファーウェイの転落ぶりは、断崖絶壁からの飛び込みのようなものである。

実はファーウェイの急転落は何も国際市場に限ったことではない。国内市場でも同じことが起きているのだ。

二〇二一年第一四半期、中国国内市場におけるスマートフォン全体の出荷台数は九千二百四十万台であった。その中で、Ｖｉｖｏ《ビボ》という中国企業の製品は一番売れていて、出荷台数は二千百六十万台、ランキングでは第一位となった。そして国内市場に占めるシェアは二三%であった。

それに対し、国内市場におけるファーウェイのスマートフォンの出荷台数は一四九〇万台であった。ランキングは第三位となって、第一位のＶｉｖｏ《ビボ》に大差をつけられた。

実は、二〇二〇年の第一四半期では、国内市場におけるファーウェイのスマートフォンの出荷台数は三千十万台にも上ったが、一年経ったらそれが千四百九十万台にまで落ちていて、落ち幅は五割以上である。どう見てもファーウェイの転落ぶりは普通ではない。中国と世界市場の両方において、「スマートフォンのファーウェイ」は今、音を立てて崩れている最中なのである。

そして対談の中でも話したように、今年になってからファーウェイは生き残りのために多角経営に乗り出そうとしていて養豚事業にまで手を出す有り様である。いっときの世界５Ｇ通信市場を制覇する勢いだったファーウェイは今、豚の養殖で何とか生き延びようとしているのである。

ファーウェイをそこまで転落させた最大の理由は言うまでもなくアメリカからの制裁である。特にファーウェイに対する高性能半導体の禁輸措置はファーウェイにとっては致命的である。

しかし、中国を代表するＩＴ企業のファーウェイでさえ、アメリカから最先端技術と製品の提供を断たれると直ちに絶体絶命の窮地に陥ってしまう。鳴り物入りの中国製造業は、肝心なところで実に脆弱であることがこれでよく分かる。結局中国という国は、アメリカや西側諸国から技術を買収したり盗んだりする以外に産業を「振興」させる術はない。それが拒まれたら彼らは何もできない。

製造業に関していえば、今まで、Ｍａｄｅ ｉｎ Ｃｈｉｎａを支えてきているのは先端技術ではなく豊富な労働力である。世界一の人口数を有している故に、安い労働力がいくらでもあって、それが中国製造業の最大の強みとなっていた。

しかし今、この最大の強みにも異変が生じてきている。人口の高齢化と出生率の低減により、将来の産業を支える中国の若年層の人口数は今後、毎年のように急速に減っていくことになるからである。

周知のように、中国政府はかつて、人口抑制のために「一人っ子政策」を長期間にわたって実施していた。しかし二〇一〇年代に入ってから少子高齢化が進むと、中国政府は一転して人口を増やそうとする政策に切り替え、二〇一五年秋に「一人っ子政策」の事実上の撤廃に踏み切った。

その結果、二〇一六年になると、一年間の新生児の数は例年よりは微増して一七八六万人となった。しかしそれ以来、毎年に生まれてくる新生児の数は年を追って激減していく。二〇一九年になると、一年に生まれた新生児の数は一四六五万、一六年のそれよりは三〇〇万人以上も減った。そして二〇二〇年、一年間の新生児数は一二〇〇万人、一九年よりは一八%減となったのである。

結局、経済状況の悪化に伴う生活難の中で、未来に対する不安が高まっていることもあって、「一人っ子政策」が解禁され、これからは三人目の出産も認めるようにしたとしても中国の若年層の夫婦の多くは自ら進んで子供を産もうとはしない、今後もこのような状況は、より深刻化することがあっても、改善されることはまずない。

出生数激減の原因となる上述のような国内状況は、まさに中国の暗い未来を予兆するものであるが、出生数の継続的な激減はまた、中国における人口構造の高齢化と労働力の減少に拍車をかけていくこととなろう。労働力の豊富さを最大の強みとする中国製造業の衰退はもはや避けられない。そしてそれに伴って、中国経済そのもののさらなる衰退も必至の成り行きとなっていく。

今や転落している最中のファーウェイの惨めな姿から、我々は、中国製造業と中国経済の未来像を見ることができるのではないか。

中国の習近平政権が抱えているのは上述のような深刻な国内問題だけではない。対談の中で私たちが分析したように、外交の面では今の中国はまさに四面楚歌の状態である。人権問題においては西側先進国からの袋叩きにあって、安全保障の面では米日英仏などの大国の構築する包囲網によって包囲されつつある。

こうした内憂外患の難局を、習近平政権は一体どう突破していくつもりなのか。最近の習近平主席の動きを見ていると、最高指導者の彼は、何らかの有効な対策を積極的に講じている痕跡もなく、むしろ精神論に縋《すが》って目の前の難題からひたすら逃げている感じがする。

例えば、今年四月下旬に習近平が地方視察の時にとった行動の一つを見ても、内憂外患の中での、独裁者である彼の深層心理はよく伝わってくるのである。

二〇二一年四月二十五日、習近平はその広西省視察の初日においてはまず、「紅軍長征湘江戦役記念園」を訪れた。それは、中国共産党史上有名な「湘江戦役《しょうこう》=湘江の戦い」を記念するために作られた施設である。

一九三四年十一月、紅軍と呼ばれる当時の中国共産党軍は国民党政府軍の殲滅《せんめつ》戦によって「中央根拠地」を失って逃亡する（長征）途中であった。紅軍の主力部隊は、湘江という川の上流の広西省興安県付近で政府軍の包囲に遭って熾烈な戦いとなった。紅軍は奮戦して何とか包囲網を突破したが、この戦いにおいて八万人の兵力のうちの五万人を失って、生き残ったのは三万人であった。

つまり「湘江の戦い」というのは、共産党軍が大損失を蒙りながらも起死回生を果たした戦いとして「革命史」に残る戦いの一つであるが、今の中国と習近平政権のおかれている状況は、当時の紅軍のそれと共通している点がある。内憂外患・四面楚歌の中で、中国共産党政権は再び、生きるか死ぬかの瀬戸際に立たされているような危機的な状況にある。

そこで習近平は、上述の「湘江戦役記念園」視察において、随行の中央と地方幹部に向かって大演説をぶった。その中で習近平は「困難はどれだけ大きくとも、紅軍の長征を思い起こせば良い、湘江の戦いを思い起こせば良い」、「もっとも困難な時に踏ん張れば、奇跡的な勝利を勝ち取ることができよう」と幹部たちを激励して、そして自らを奮い立たせた。

つまり中国の最高指導者の習近平は、今の難局を打開するのに何かの政策論や戦略論を語るのではなく、ひたすら紅軍の「輝きの歴史」に目を向けて、紅軍の「革命精神」に縋って「奇跡的な勝利」に期待をかけているのである。現実の問題に直面しているのに過去の歴史と革命的精神論に救いを求めるとは、人間にとっては、まさに退嬰化現象、そして政権にしてみれば、もはや救いのない末期症状となっているのではないか。

以上は、宮崎正弘先生と私との対談本が編集されている段階で起きた、中国関係のいくつかの動きであるが、経済と政治の両面における中国という国の沈没は案外早いスピートで進んでいることが分かるであろう。

宮崎先生と私の対談は今や恒例化して毎年一度やることになっているが、来年の対談の時、私たちはまた、中国のさらなる沈没ぶりをどのように目撃し、そしてどのようにして読者の皆様に語れるのだろうか。

令和三年六月吉日

石平

宮崎正弘（みやざき まさひろ）

評論家。1946年、石川県金沢市生まれ。早稲田大学中退。『日本学生新聞』編集長、月刊『浪漫』企画室長などを経て貿易会社を経営。1982年、『もうひとつの資源戦争』（講談社）で論壇へ。以後、世界経済の裏側やワシントン、北京の内幕を描き、『ウォールストリート・ジャーナルで読む日本』『ウォール街・凄腕の男たち』などの話題作を次々に発表してきた。著書に『こう読み直せ！ 日本の歴史』（ワック）、『さよなら習近平』『大暴落にむかう世界』（ビジネス社）など多数。

石　平（せき へい）

評論家。1962年、中国四川省成都生まれ。北京大学哲学部卒業。四川大学哲学部講師を経て、1988年に来日。1995年、神戸大学大学院文化学研究科博士課程修了。民間研究機関に勤務ののち、評論活動へ。2007年、日本に帰化する。著書に『なぜ中国から離れると日本はうまくいくのか』（PHP新書、第23回山本七平賞受賞）、『中国をつくった12人の悪党たち』（PHP新書）、『私はなぜ「中国」を捨てたのか』『朝鮮通信使の真実』『石平の眼 日本の風景と美』（ワック）、『中国の電撃侵略』（産経新聞出版）など多数。

中国《ちゅうごく》が台湾《たいわん》を侵略《しんりゃく》する日《ひ》
習近平《しゅうきんぺい》は21世紀《せいき》のヒトラーだ！

2021年7月15日　初版発行

著　者　宮崎 正弘・石 平

発行者　鈴木　隆一

発行所　ワック株式会社

東京都千代田区五番町 4-5　五番町コスモビル　〒102-0076
電話　03-5226-7622
http://web-wac.co.jp/

印刷製本　大日本印刷株式会社

ISBN978-4-89831-840-9